L'AFFAIRE BESNARD

Sophie Darblade

L'AFFAIRE BESNARD

ÉDITIONS DE VECCHI S.A.
52, rue Montmartre
75002 Paris

Photo de couverture : © David Chasey / Photodisc Vert / Getty-images.
L'illustration de la couverture est de Julienne Establet.

Conception graphique de la couverture : Yes.

Avant-propos

On ne revient jamais sur la chose jugée ! Innocent relaxé ou coupable condamné, innocent emprisonné ou coupable en liberté..., le protagoniste d'une affaire ne peut être rejugé, même par les historiens.

Et pourtant, combien est grande la tentation de « percer le mur du silence » qu'impose à juste titre la loi. Mais nul ne peut se prendre pour Clemenceau, rédacteur en chef de *L'Aurore,* et titrant une « lettre à Monsieur Félix Faure, Président de la République » d'un, devenu célèbre, « J'accuse ».

Non, la place de l'historien est ailleurs. Elle n'est pas au côté de Zola. Elle n'est pas dans cette phrase de l'auteur de *L'Assommoir* : « Ma protestation enflammée n'est que le cri de mon âme. Qu'on ose donc me traduire en cour d'assises et que l'enquête ait lieu au grand jour. »

La place de l'historien, et/ou du chroniqueur judiciaire *a posteriori,* ne doit pas d'emblée être manifeste.

Il ne s'agit pas de n'être qu'un homme qui pense ou plus encore un homme qui communique « une » pensée.

Il s'agit, avant tout :

– d'être un honnête homme de mémoire ;

– de raconter les faits tels qu'on les connaît et non les hypothèses telles qu'on les souhaite ;

– de décrire les protagonistes et le déroulement d'une instruction, puis les audiences.

Il s'agit enfin d'établir une sereine « fortune critique » à des affaires qui ont, le plus souvent, déchaîné les passions.

C'est ainsi que nous reverrons désormais ces procès, avec l'œil neuf de celui qui découvre l'ensemble des faits, de celui qui perçoit que, derrière des milliers de côtes, se dissimule l'âme humaine.

Plus calmes qu'à l'époque des faits, plus calmes que dans un débat contradictoire télévisé, les auteurs de ces ouvrages tentent chacun à leur manière d'inverser la tendance de cette formule de Jean Guitton : « C'est toujours l'imprévisible qui se réalise, malgré nos efforts de perspicacité et de prospection – l'imprévisible des ombres et des lumières[1]. »

Si, entre ombres et lumières, ces ouvrages présentent des éléments de réflexion perspicaces et prospectifs, alors leur but sera atteint.

On sait que dans les prétoires – et c'est leur force – les choses ne se passent jamais tout à fait comme prévu. Ces ouvrages de présentation générale d'un fait judiciaire sont là pour nous ramener au plus près des hommes, de leur innocence ou de leur culpabilité, de leur drame et peut-être de leur rédemption.

---

1. Y. Denton, *Souffle du large : douze rencontres de Mauriac à Malraux*, La Bibliothèque des Arts, 1996.

Chapitre 1
Les faits historiques

Sortie des rancœurs et des souffrances de la Seconde Guerre mondiale, la petite ville de Loudun, sous-préfecture du Poitou construite sur une colline du département de la Vienne, devient le site de l'une des plus grandes affaires criminelles du XXe siècle.

À la suite du décès de son mari, Marie Besnard, âgée d'une cinquantaine d'années, est la cible de ragots et de médisances. La rumeur circule vite dans les ruelles et sur les marchés de la cité.

> « Dites donc vous savez ce qu'on dit, "la Besnard" aurait empoisonné son mari avec de l'arsenic.
> – Ça ne m'étonne pas. Voyez, tous les héritages qui lui sont tombés dessus !
> – S'il y avait que ça mais... le petit domestique allemand... c'est pas permis à son âge de s'amouracher d'un jeune de vingt ans. »

Déjà au cours du XVIIe siècle, Loudun, province royale du cœur de la France, a connu une étrange histoire de sorcellerie. Le père Urbain Grandier, accusé d'avoir ensorcelé les sœurs du couvent des Ursulines, fut brûlé vif sur la place publique. Pour comble de malheur, le père Lactance, son exécuteur, mourut des suites d'une crise d'hystérie. Vite répertoriée par ce type d'affaire et quelques légendes comme une région propice à la sorcellerie, Loudun n'avait nullement besoin d'une nouvelle affaire pour se retrouver sous le feu des projecteurs. D'autant que l'histoire de Marie Besnard s'étendra sur douze années de procédure.

De 1949 à 1961, trois procès, treize exhumations pour parvenir à un acquittement. Quel est donc le contenu de cette affaire qui va nous emmener de cabinets de juge d'instruction en cour d'assises, en passant par la prison ?

L'ENFANCE ET L'ADOLESCENCE DE MARIE BESNARD

Pierre Eugène Davaillaud et sa femme Marie-Louise, née Antigny, ont la réputation d'être des travailleurs acharnés de la terre. Ils sont appréciés par les voisins et les amis ; leur ferme des Liboureaux de la commune de Saint-Pierre-de-Maillé, dans la Vienne, les occupe à temps plein. Le couple est jovial et sans histoire. Une seule ombre à leur vie, l'attente désespérée de voir s'agrandir la famille. Un premier garçon ne verra pas le jour. Un deuxième ne vivra que quelques heures.

La naissance de Marie Joséphine Philippine Davaillaud

Après sept ans de mariage, c'est enfin le plus grand des bonheurs. Une belle fille de sept livres naît le 15 août 1896 à 23 heures. Elle répond aux trois prénoms de Marie, Joséphine, Philippine. Aucun frère, ni aucune sœur, ne lui succédera. Ses premiers pas, sous l'œil attentif de ses parents, la guident vers la nature et les joies saines d'une vie à la campagne. Le père et la mère travaillent dur à la ferme. Ils ne sont pas dupes. Si Marie veut réussir, il n'y a que l'instruction pour arriver à mieux.

Pour parfaire son éducation, il faut passer aussi par l'apprentissage des règles de bonne conduite, de la couture et de la cuisine... Non loin de la ferme, l'école des sœurs d'Angles-sur-l'Anglin est réputée pour son enseignement. Marie Davaillaud y est inscrite durant les premières années de sa scolarité. À la fermeture du couvent, elle poursuit ses études jusqu'à l'âge de douze ans comme demi-pensionnaire à l'école publique de Saint-Pierre-de-Maillé. À cette période, une fièvre typhoïde la retient loin de la classe. Elle ne peut pas passer son certificat d'études et met un terme à celles-ci.

Dès l'adolescence, Marie participe avec courage aux travaux de la ferme. Elle reste quotidiennement près de son père et de sa mère. Le voisinage fait l'éloge de la fille Davaillaud. « Pour de la force, c'est une vraie paysanne. Pas une plainte. Elle est levée avec le soleil. Non, vraiment, ils ont de la chance d'avoir une fille solide comme la leur. » Elle les soutient avec dévouement. Comme Marie le confiera : « Je sentais que ma place était aux côtés de mes parents et non pas sur les bancs de la classe. »

Jusqu'à l'âge de vingt ans et bien davantage durant la Première Guerre mondiale, les labours, les moissons, les animaux... ne lui laissent aucun répit sur cette ferme de près de trente hectares.

L'époque des premiers soupirants

Pour se divertir, avec ses voisines Jeanne Colin et Juliette Antigny, Marie se rend aux fêtes locales. La surveillance paternelle contrôle toute mauvaise fréquentation. « C'est qu'elle a du succès la petite ! Ma foi, j'aurais bien le béguin si j'étais plus jeune », disait-on avec amusement dans les cafés de Loudun.

Au début de ce siècle, l'accord des parents pour fréquenter un jeune homme était indispensable. Pour se marier, leur consentement s'imposait. Pierre et Marie-Louise Davaillaud ne voient pas d'un mauvais œil la relation de Marie avec le jeune Alfred Gonneau. Leur fille a dix sept-ans. Un âge où il est temps de songer à se marier. La guerre de 1914 aura malheureusement raison de leur amour. La mort d'Alfred au front affectera Marie bien plus que l'apparence le laissera croire. Marquée par ce malheur, elle refusera les avances d'un autre prétendant.

Entre ses deux parents, Marie se replie chaque jour davantage sur elle-même. Le seul compagnon de son âge qu'elle accepte, c'est le cousin germain, Auguste Antigny.

Ainsi passe le temps de la terrible guerre.

Le premier mariage, avec Auguste Antigny

Né le 5 juillet 1887, Auguste devait, comme tous ceux de sa génération, partir à la guerre. Une constitution fragile lui permet d'être réformé. Tandis qu'il accomplit quelques menus travaux à la ferme des Liboureaux, c'est avec plaisir qu'il devient le chevalier servant de Marie. Lors des fêtes de village, les jeunes gens dansent souvent ensemble. On commence à jaser. Mais le neveu est quasiment considéré comme un fils par les Davaillaud. Les idées déplacées se calment.

Les fiançailles à la fin de la Première Guerre mondiale

Après l'armistice, Auguste est à nouveau officiellement employé à la ferme. Le père et la mère de Marie consentent à lui accorder la main de leur fille.

Les fiançailles précèdent de peu le mariage, célébré le 6 avril 1920 en l'église de Saint-Pierre-de-Maillé. Neuf années séparent les deux époux. Marie a vingt-quatre ans lorsqu'elle devient Mme Antigny.

Le jeune couple habite la ferme des Liboureaux avec les parents de Marie. Malheureusement, au bout de quatre années de travail, Auguste est atteint de pleurésie. Le docteur arrive d'urgence.

> « Si vous voulez vivre vieux, un conseil, arrêtez complètement les travaux des champs.
> – Mais que voulez-vous que je fasse, docteur ? Je ne connais que le travail de cultivateur[1]. »

Une fois rétabli, quoique très amaigri et affaibli par la maladie, Auguste trouve une place de concierge dans un château voisin. Il ne fallait surtout pas laisser passer cette opportunité de travail. La tâche n'est pas trop fatigante. Elle convient parfaitement à sa fragile santé. Le couple est logé dans une petite maison atte-

1. Les dialogues, échanges, répliques, débats et autres extraits cités dans ce livre ne sont nullement imaginaires. On peut s'en procurer l'intégralité en consultant les sources indiquées en fin d'ouvrage, à la Bibliothèque de France ou en consultant les archives de bibliothèques spécialisées. Pour plus de lisibilité et une meilleure compréhension, ils sont inscrits au fil du texte. Les échanges – véridiques, mais forcément incomplets – essaient de relater une vérité pas trop éloignée de la vérité des faits.

nante au parc. Auguste s'occupe à l'année du gardiennage du château et de l'entretien du jardin. Lorsque les propriétaires, M. et Mme Courbe, viennent passer quatre mois de l'année dans leur demeure, Marie est employée quelques heures au service de la châtelaine. Les huit autres mois sont consacrés aux travaux de conciergerie. Auguste et Marie vivent ainsi un bonheur tranquille.

Une jeune veuve

Brusquement un soir, à l'issue de l'année 1926, Auguste se plaint d'avoir pris froid. Dès les premières douleurs, Marie lui conseille de s'aliter. Bientôt, il crache du sang. Le docteur diagnostique une hémoptysie.

> « Madame Antigny, votre mari rejette du sang par les voies respiratoires. Laissez-lui un temps de guérison à l'aide de fortifiants. Et surtout, Auguste doit cesser toute activité physique. Je reviendrai si la situation ne s'améliore pas. »

Durant près de quatre mois, son état ne cesse malheureusement d'empirer. La mère de Marie aide à le soigner. Le mal ne se résorbant pas, les beaux-parents veilleront aussi sur leur fils. Pendant six mois il s'achemine lentement vers la mort. Le 1er juillet 1927, une ultime hémoptysie met fin à ses jours.

Auguste Antigny allait avoir quarante ans, il laisse une jeune veuve de trente et un ans.

Marie ne comprend pas ce qui lui arrive. Elle est inconsolable. Son entourage la soutient dans cette épreuve. Mme Courbe insiste pour qu'elle occupe encore les fonctions de concierge. Marie préfère retourner auprès de ses parents aux Liboureaux.

Ils lui achètent une petite maison non loin de leur ferme où elle reprend avec courage les travaux des champs. Légèrement contaminée par la maladie de son défunt mari, elle reste quelque temps couchée. Marie n'assume plus de travail physique. Seules sont autorisées les tâches de cuisine et de couture. Au fil des jours, cette inactivité lui pèse.

Marie se souvient des sept années de bonheur passées auprès d'Auguste. Inexorablement, elle sombre dans un état dépressif. Ses parents, remplis d'attention, concentrent tous leurs efforts pour la sortir de cette mélancolie.

Le deuxième mariage, avec Léon Besnard

Depuis son veuvage, Marie entretient une correspondance suivie avec une cousine de Loudun, Pascaline Antigny. Elle a épousé un dénommé Vérité. Le couple n'est pas au mieux de sa forme. Les commérages des arrière-cours considèrent la cousine comme une personne frivole.

> « Tant pis pour les ragots, ma fille. Si cela peut te redonner le sourire d'aller en ville, pars te changer les idées chez la cousine. »

Pascaline est ravie de l'accueillir. « Moi qui réclamais souvent ta visite. Enfin te voilà. » Le mari Vérité est absent du foyer pendant plusieurs jours. Aussi, pour ne pas se sentir trop seule, sa femme reçoit pour manger son petit-fils et sa fille sans oublier son voisin,

Léon Besnard. Cet homme d'environ trente-cinq ans tient, dans la même rue, un magasin de cordes. Il loge ses chevaux dans le hangar de la cousine et prend les repas à sa table. Dans Loudun, il est de coutume d'entendre dire que cette hospitalité ne s'arrête pas là. Encore et toujours les mêmes langues qui ne s'arrêtent pas pour tricoter des tas d'histoires.

C'est chez dame Vérité que Léon et Marie font connaissance un jour de septembre 1928. La rencontre ne laisse rien présager d'autre que l'échange de simples formules de politesse. Marie ne reste à Loudun que peu de temps. L'ambiance de la maison ne lui convient pas.

Les quelques moments de distraction passés en ville ne lui font pas oublier le travail de la ferme. À cette époque de l'année les bras sont les bienvenus. En effet, durant l'automne, il faut s'occuper des journaliers embauchés pour les vendanges. De retour aux Liboureaux, le quotidien ne laisse plus de place pour les souvenirs de Marie.

En janvier 1929, surprise, elle reçoit une lettre de Léon Besnard. En toute simplicité il souhaite la revoir. Marie n'est pas prête à recevoir cet homme.

Son deuil est encore trop proche. Les Davaillaud insistent pour le rencontrer. Au milieu de l'hiver, Léon arrive. Il va droit au but et avoue son désir de trouver une femme sérieuse, instruite et de bonne conduite.

« Depuis que j'ai vu Marie, je sais qu'elle est l'élue de mon cœur. – Nous en sommes très honorés. Mais, vous savez, Marie est encore sous le choc. »

Malgré le bon effet produit sur les parents, Léon repart sans avoir obtenu de réponse de leur fille. Il devra insister lors d'une deuxième visite en avril de la même année pour enfin voir sa demande aboutir.

Le nouveau goût du bonheur

En juin, au cours de sa troisième visite, les fiançailles sont officialisées. Le mariage a lieu le 12 août 1929 à Saint-Pierre-de-Maillé en présence des familles Davaillaud et des premiers beaux-parents de Marie. La fête est assombrie par l'absence du père, de la mère et de la sœur de Léon. Depuis quelques années, les relations sont rompues. Une histoire de ragots concernant la mauvaise influence de Pascaline Vérité sur Léon est à l'origine de la querelle.

Ces commérages n'avaient pourtant pas remis en cause l'installation de Léon chez sa cousine. L'affaire semble appartenir aux souvenirs et Marie ne s'en émeut pas. À l'âge de trente-trois ans elle connaît la joie d'une deuxième lune de miel. Les jeunes époux partent en voyage de noces, quatre jours dans la région du Pays basque, avant de regagner le domicile de Léon à Loudun.

Le couple s'installe à Loudun

Les mœurs de la ville sont nouvelles pour Marie. Depuis une trentaine d'années elle est habituée à celles de la campagne. Loudun n'est pourtant située qu'à une centaine de kilomètres de Saint-Pierre-de-Maillé. Mais ce sont deux univers complètement différents. Les activités agricoles ne laissent que peu de place aux épanchements de cœur et aux commérages.

La place du marché de la ville est au contraire propice aux colportages des ragots de Loudun. Personne n'est épargné. Le ménage Besnard pas plus que les autres. Qui porte ombrage à son voisin récolte son lot de maîtresses ou d'amants. Cependant,

Marie n'est pas femme à se laisser faire. Sans tarder, elle remet les situations et les gens à leur juste place. Pascaline Vérité en fait les frais. Sur ordre de Marie, elle abandonne sa relation plus qu'amicale avec Léon Besnard. Ainsi apparaît la première ennemie loudunaise. Bien des années plus tard, leur nombre augmentera considérablement.

L'histoire de Loudun

Il faut remonter à environ deux cents ans avant l'ère chrétienne pour connaître l'origine du nom de la ville. Les Celtes ont fortifié la colline et la mettent sous la protection du dieu Lug et le « dun » de cette divinité devient *Lug du num* d'où Loudun. Les Romains y construisent un oppidum. La ville devient au fil des ans une place forte défendue par une ceinture de murailles, percée de quatre portes et bordée de douves. Les seigneurs du Poitou et de l'Anjou ont la mainmise sur le Loudunais. Il faut attendre le XIIe siècle pour qu'il devienne province royale. En raison de sa position stratégique et des dangers de l'époque, le roi Philippe Auguste y construit une forteresse. Nous sommes en l'an 1200. La ville compte alors quelque vingt mille habitants. Sous l'effet de la Réforme, en 1560, la population de Loudun, jusque-là catholique, se convertit au protestantisme. La citée est le berceau d'hommes érudits. Ismaël Boulliau (1605-1694), né à Loudun, étudie le droit à Poitiers avant d'obtenir la réputation de savant en langues, astronomie et philosophie. C'est aussi le pays d'Urbain Chevreau (1613-1701), bourgeois du monde, « ermite de Loudun ». Homme épris de lettres, il fut le secrétaire de la reine Christine de Suède. Sans

oublier Théophraste Renaudot (1586-1653), créateur de la presse périodique en France.
La révocation de l'édit de Nantes met fin à ce grand centre du protestantisme. Après la Révolution, Loudun affiche seulement quatre mille cinq cents habitants.
À l'époque de Marie Besnard, la ville compte environ cinq mille habitants. L'agriculture avec la production de céréales et les cheptels de vaches et moutons assure l'essentiel des ressources. La région reste à dominante agricole. Le développement de l'industrialisation est timide. C'est autour du tourisme vert et de la restauration des monuments anciens de la ville que Loudun et ses quelque huit mille cinq cents habitants se feront connaître.

Pour le moment, le couple, par l'intermédiaire de Marie, est réconcilié avec les parents et la sœur de Léon. Marcellin et Marie-Louise Besnard vivent à côté du domicile de leur fille, Lucie. Veuve et d'un caractère torturé, celle-ci habite la maison d'en face.

Marie continue à aider ses parents à la ferme ainsi que son mari. Les jours d'affluence, elle tient le commerce de cordes. Le travail contribue à construire les richesses des familles Davaillaud et Besnard. Leur situation financière ne les place pas dans la catégorie des plus démunis. Leur patrimoine immobilier et agricole, consciencieusement géré, s'agrandit au fil des ans.

Dans cette petite ville de province, Léon et Marie forment un couple réputé fortuné. Les amis gravitent autour d'eux. Mais les mauvaises langues sont jalouses de leur situation. Des lettres anonymes commencent à circuler où les termes injurieux se répandent comme de la mauvaise herbe.

Léon Besnard

On pourrait le qualifier de petit-bourgeois renfermé mais qui sait être joyeux et accueillant quand il reçoit des amis chez lui. La cave est constituée de bons crus et sa femme cuisine de bons plats. Léon, doté du même tempérament casanier que son père et sa mère, sort rarement de chez lui. Aussi sa venue annuelle au café est-elle très remarquée. Il gère l'atelier de corderie qui a fait, depuis plusieurs décennies, la renommée de sa famille. Ses parents économisaient chaque sou gagné à la sueur de leur front. Connus pour leur avarice, ils avaient amassé quelques biens. Léon dispose donc d'un patrimoine considéré, pour l'époque et pour la province, comme non négligeable. D'autant qu'à l'occasion de différents décès, il recevra en héritage des maisons et des terres. Un testament rédigé l'année de son mariage institue le survivant du couple héritier de tous les biens. Par ailleurs, la passion de Léon pour les chevaux lui en fait acquérir un certain nombre. Cette accumulation de petites richesses servira, entre autres, de mobile à l'accusation, au moment de l'inculpation de sa femme pour meurtre.

Durant la période d'installation des Besnard, la Seconde Guerre mondiale apporte son lot de malheurs au sein de nombreuses familles françaises. En raison des rationnements alimentaires, les Besnard sont très sollicités pour les produits de la ferme des parents de Marie.

C'est aussi le retour de nouvelles brouilles familiales avec la sœur de Léon et ses parents. À cela va s'ajouter une succession de décès de parents et d'amis.

Une liste douloureusement longue

• Décès de *Marie Leconte*, le 22 août 1938. Grand-tante de Léon Besnard. Héritiers : Marie-Louise Besnard et sa fille Lucie.

• Décès de *Toussaint Rivet*, le 14 juillet 1939. Ami avec sa femme Blanche du couple Besnard. Héritiers : sa femme qui léguera tout à Marie.

• Décès de *Pierre Eugène Davaillaud*, le 14 mai 1940. Père de Marie. Héritiers : sa femme détient l'usufruit tandis que sa fille est l'héritière de tous les biens. L'usufruit donne droit à sa femme d'utiliser les biens mais sa fille détient le droit de propriété. À la mort de Marie-Louise, Marie en disposera à sa guise.

• Décès de *Louise Gouin*, le 2 septembre 1940. Grand-mère maternelle de Léon et sœur de la grand-tante de Léon.

• Décès de *Marcellin Besnard*, le 19 novembre 1940. Père de Léon. Héritiers : sa femme est usufruitière. Son fils et sa fille seront ses héritiers.

• Décès de *Marie-Louise Besnard*, le 16 janvier 1941. Mère de Léon. Héritiers : sa fille Lucie et son fils Léon.

• Décès de *Lucie Besnard*, le 27 mars 1941. Sœur de Léon. Héritiers : son frère Léon ainsi que sa femme Marie.

• Décès de *Blanche Rivet*, le 27 décembre 1941. Amie des Besnard chez qui elle logeait depuis son veuvage. Héritiers : par testament elle fait de Marie sa légataire universelle.

Si, pour l'instant, ces morts sont enterrés en silence, ils seront quelques années plus tard exhumés avec force et fracas. La recherche de la vérité lors des différents procès de l'affaire ne nécessitera pas moins de treize exhumations.

Marie Besnard, une femme dévouée

Ces disparitions entraînent des aménagements au foyer de Léon et Marie. Dès 1941, ils résident dans la maison des beaux-parents, inoccupée depuis leur disparition. Marie prend sous son nouveau toit sa mère, son père étant décédé en mai 1940, et plus tard une amie, Blanche Rivet. Tandis que deux vieilles cousines du père de Léon Besnard sont gracieusement logées dans la première maison de ce dernier. Ce déploiement de générosité fait parler les Loudunais :

> « Ben ! allez savoir pourquoi ils se donnent tant de mal. Si vous croyez que c'est par charité chrétienne, vous vous trompez. J'en mettrais ma main à couper que c'est l'appât du gain qui les attire. Tous ces héritages, ils tombent toujours au bon moment ! »

Quant aux personnes bien intentionnées, elles affirmeront jusqu'au dernier procès que Marie Besnard est une personne extrêmement serviable, prévenante, toujours soucieuse de prendre des nouvelles des uns et des autres. Sans omettre l'exemplarité de son comportement religieux. Elle ne manque en effet aucun office. Plus tard, la gardienne du cimetière la vit passer bien souvent : « Elle vient visiter tous les dimanches ses chers disparus. Je l'admire, moi, cette femme, monsieur », s'empressait-elle de dire aux journalistes.

Le travail ne manque pas

La guerre est terminée. Les rancunes persistent. Les règlements de comptes se poursuivent. Pour preuve, l'arrivée, en mai 1947, du nouveau domestique agricole des Besnard, le jeune ex-prisonnier allemand Alfred Dietz. À vingt ans, il avait été incorporé dans les armées du IIIe Reich. Prisonnier en 1944, il fut placé dans une section de travailleurs agricoles. Les Loudunais le perçoivent d'un bien mauvais œil. Les commères le font passer pour l'amant de Marie. Elle est traitée de « collabo ». Marie laisse dire les médisances. Comme jadis, pour la cousine, les mesquines histoires d'infidélités conjugales refont surface. Alfred surnommé Ady, beau garçon de vingt-quatre ans, attire le regard autant que les mauvaises langues. Malgré la charge de travail importante à faire pour les vendanges ou aux écuries, Ady se plaît auprès de Léon et Marie. Une lettre de Mme Dietz le prouve. Le caractère maternel de sa relation avec Marie Besnard ne fait aucun doute. Au cours de la procédure, le discours d'Ady ne variera pas. Marie Besnard avait à son encontre les attentions d'une mère. Ady est très occupé aux travaux agricoles.

Chère madame Besnard,
Je crois que vous serez bien étonnée de recevoir une lettre d'Allemagne. Mais j'ai le désir de vous écrire quelques mots. Il y a maintenant trois années que je n'ai pas vu mon Alfred et il y a plus de deux années que je le sais comme prisonnier. C'est un temps très long pour une mère, surtout pendant ces graves jours.
Mais maintenant je le sais chez vous bonne garde. Dans chaque lettre, Alfred m'écrit de votre bonté et parle de vous comme d'une seconde mère. Et quand nous avons seulement la seule pensée d'être ensemble, bientôt, je suis vrai-

ment très heureuse qu'il ne soit plus dans un camp de prisonniers. Et je crois qu'il peut se sentir un peu libre aussi comme prisonnier à l'étranger. Mais vous faites tous pour lui bien agréable sa vie et lui laissez oublier sa nostalgie un peu. C'est pourquoi j'écris ces lignes. J'avais le besoin d'exprimer mes remerciements de vous. Alfred est encore si jeune et je suis sûre que, lui aussi, ne jamais oublier vous et votre bon et tenue si notable et généreuse. J'espère que je n'ai pas fait trop de fautes et vous pouvez lire et comprendre tout. Veuillez recevoir, madame, l'expression de mes sentiments les meilleurs.

Liesel Dietz, le 14 juin 1947, Karlsruhe

(Lettre extraite de l'ouvrage de Jacqueline Favreau-Colombier, *La Force de l'innocence.*)

Outre les sept chevaux, depuis la mort de Pierre Eugène Davaillaud, la ferme des Liboureaux est mise en viager au nom de Marie pour ses cousins. Mais les Besnard doivent en surveiller la gestion. Il y a aussi les moissons, les vendanges auxquelles Marie, Léon et le domestique participent. Le travail ne manque pas, sans oublier la maintenance de l'atelier et du commerce de cordes de Léon.

Quand son mari, victime d'une forte grippe durant l'hiver 1946, est resté trois mois alité, Marie a dû supporter un surcroît de travail. Enfin, il y a Marie-Louise Davaillaud, atteinte à présent de cécité. Elle aide bien sa fille pour de menus travaux mais son handicap ne lui permet pas d'en exécuter beaucoup. La tendresse et le respect de Marie pour sa mère seront très forts durant toute la vie de cette dernière. Sa fille lui est entièrement dévouée. Plus tard, à plusieurs reprises au cours des interrogatoires, Marie Besnard dira « ma chère maman que j'aimais tant ».

La mort frappe au domicile conjugal de Marie Besnard

Léon Besnard est sorti affaibli de la mauvaise grippe dont il a été victime. « À cinquante-trois ans, je ne vais tout de même pas ralentir le rythme de mes activités. La retraite, on verra plus tard. »

À la fin de l'été, les températures, extrêmement chaudes pour la saison, ont exténué tout le monde. À cela s'était ajoutée la fatigue du travail des moissons.

À l'entrée de l'automne, le couple décide d'aller passer quelques jours aux Liboureaux pour s'assurer que tout va bien. Alphonse Baraudon, ami d'enfance de Marie, ayant quelques affaires à régler aux alentours, profite de leur voiture pour faire partie du voyage. Depuis 1946, Alphonse gère, avec sa femme, l'hôtel du Cheval blanc de Loudun. Marie et Léon sont restés propriétaires des murs. Les relations entre eux sont pour l'instant des plus amicales. Plus tard, Alphonse Baraudon prendra le parti des dénonciateurs.

Le fameux déjeuner à la ferme des Liboureaux

Durant les huit jours de leur présence aux Liboureaux, Léon ne cesse pas de travailler. Il part vendre du bétail à la foire. Il assure les réparations courantes pour laisser la ferme en bon état pendant les mois d'hiver.

Le **16 octobre 1947**, avant de repartir pour Loudun, Alphonse se joint à leur repas de midi. Dans ses *Mémoires*, Marie Besnard précise qu'elle n'avait pas voulu cuisiner pour ne pas perdre de temps. Chacun avait apporté des restes à finir.

La composition du menu, notamment au sujet de la soupe, portera par la suite à discussion. Marie affirme qu'« il n'y a jamais eu de soupe. Qu'ils n'avaient pas pour habitude d'en manger à midi ». En revanche, douze ans plus tard, Alphonse a fourni dans le détail le contenu du menu. L'acte d'accusation mentionne : « soupe ou potage, œufs au plat, haricots, viande, vin et café ».

Qu'en fut-il au juste ? Personne ne pourra jamais le dire. Une fois le repas terminé, Marie met de l'ordre pour tout laisser propre. La ferme est scrupuleusement fermée. Par sécurité pour le voyage, Léon part redonner un coup de pompe aux pneus de la voiture. Après cet effort, Marie le voit revenir tout pâle.

> « Qu'est-ce qui t'arrive ? Tu n'as pas l'air dans ton assiette.
> – Je ne sais pas ce qui m'a pris, j'ai vomi le repas. Mais c'est sûrement à cause de l'effort fourni en gonflant les pneus.
> – Bon, alors c'est simple, Alphonse va prendre le volant.
> – Mais non. C'est inutile, je me sens nettement mieux. »

Il insiste pour ramener tout le monde à Loudun, distante de quatre-vingt-cinq kilomètres. Pendant le trajet, il ne se plaint pas. Ils arrivent chez eux en fin d'après-midi ; Léon effectue quelques rangements. Au moment de passer à table pour le dîner, l'envie de vomir le reprend. Il monte se coucher. Marie, sa mère et Ady achèvent leur repas. Léon s'est endormi rapidement. Ce sera l'une de ses dernières nuits paisibles avant d'entrer dans les affres de la souffrance.

Quelques précisions...

Définition de l'*urée* (*Petit Robert*) : en biochimie, c'est une substance cristalline constituant le produit final de décomposition des acides aminés de l'organisme. Ces acides sont synthétisés dans le foie alors que l'ammoniaque est transportée par le sang. Le taux normal est situé entre 0,20 g et 0,40 g par litre de sang. L'urée est éliminée par les urines.

Définition de l'*urémie* (*Petit Robert*) : en médecine, c'est l'ensemble des manifestations pathologiques dues à l'accumulation dans l'organisme de produits azotés (en particulier de l'urée). En général, cette maladie est liée à une insuffisance de la fonction des reins.

Les derniers jours de Léon Besnard

Au réveil, il replonge dans les mêmes symptômes que la veille. Sa femme, elle non plus, ne se sent pas bien. Inquiète, elle appelle leur médecin traitant. Le docteur Gallois conclut : « C'est une simple crise de foie. Pour cela, il faut vous reposer et vous mettre à la diète. D'ici un ou deux jours, mon ami, vous serez sur pied. »

Marie se remet rapidement de cette faiblesse. Les symptômes persistent chez Léon, si bien que le docteur Gallois, revenu plusieurs fois, fait appel à un confrère chirurgien, le docteur Chauvenet : « Il n'y a pas de risque d'occlusion intestinale. Mais il vous faut encore patienter quelques jours pour que tout redevienne normal. » Le malade souffre terriblement de tout le côté gauche. Peut-être un problème cardiaque. Une analyse de sang révèle un gramme quarante et un d'urée.

Une amie très présente

Les jours passent, les vomissements s'espacent mais Léon sent venir la fin. Il confie à Marie ses angoisses : « Tu vas devoir te battre toute seule. Il te faudra du courage pour te défendre. La gestion des affaires est énorme, tu en sais quelque chose. » De nombreux amis viennent leur rendre visite, les Baraudon, la postière Mlle Michaud, le couple de fermiers Cuau, la femme de ménage Mlle Thaudière, les Frémont, Billaud, Lebeau, Duzac... Ils feront partie de la liste des témoins. Il y a l'amie à ne pas oublier : Louise Pintou, veuve, postière à Loudun, fidèle parmi les fidèles, vient jusqu'à deux fois par jour. En effet, elle a pris pour habitude, depuis 1943 qu'ils se fréquentent, de passer tous les jours au domicile des Besnard. Pendant plusieurs mois, elle a mangé chez eux. Son fils a célébré ses fiançailles et son mariage dans leur maison. Son mari décédé en 1945, Louise Pintou a trouvé un deuxième foyer ainsi qu'une confidente avec qui partager les histoires de clocher dont les échos lui parviennent par son emploi aux PTT.

Louise Pintou, touchée par l'attitude de Marie, était venue présenter ses vœux le Jour de l'an 1943. À partir de cette période, elle n'hésitera plus à revenir quotidiennement. Elle propose ses services pour garder la mère de Marie. Lorsque son amie est trop fatiguée, notamment au retour de son opération d'une ovario-hystérectomie, Louise assure avec naturel les commissions, la cuisine, le ménage... Durant dix-huit mois, effrayée par les bombardements, elle dort dans la chambre des beaux-parents de Marie. Leur amitié semble inébranlable. Louise s'entend d'ailleurs fort bien avec Léon. La rumeur leur prête vite une liaison. Avec son opération, Marie est atteinte dans sa féminité. Elle se culpabilise et préfère fermer les yeux sur certains faits. Plus tard, elle avouera avoir été au courant de la relation. Mais elle pensait que le temps aurait raison de cette aventure. Louise Pintou niera par contre jusqu'au dernier procès avoir été la maîtresse de Léon Besnard. Les cœurs ont emporté leurs secrets.

Quoi qu'il ait pu arriver à ce trio, jugé peu conventionnel à Loudun, l'heure est grave chez les Besnard. À la veille de sa mort, Léon commence à cracher du sang. Il est conscient de sa fin prochaine. Il n'a pourtant que cinquante-trois ans. Avant qu'il ne sombre dans le coma, tous ses fidèles amis défilent à son chevet. Au soir du **25 octobre 1947**, le dernier souffle de Léon Besnard met un terme à dix-neuf ans de bonheur auprès de Marie.

Les origines d'une amitié

À l'automne 1942, dans le car qui ramène Marie des vendanges, Mme Papuchon, son amie, s'empresse :

« Marie, tiens voici Louise Pintou. Elle vient tout juste d'être nommée à la poste de Loudun. Vous savez ce que c'est. Les petites villes ne sont pas faciles pour lier connaissance. Elle ne connaît pas encore grand monde. S'il vous reste un peu de raisin, sûrement que cela lui fera plaisir.

– Qu'à cela ne tienne, je vous en apporterai bien volontiers demain.

– Vous êtes trop aimable. Comment vous remercier ?

– Oh ! mais c'est tout à fait normal. Cela me fait simplement plaisir. »

Les dénonciateurs et la fameuse rumeur

Une fois la douleur de l'enterrement passée, Marie se retrouve seule avec sa mère et Ady.

Elle juge préférable de garder le domestique afin qu'il puisse s'occuper des affaires agricoles dont il a l'habitude. Cette aide soulage Marie, qui, comme le redoutait Léon, va devoir à présent gérer seule les immeubles, les hectares de terre, les chevaux...

On vient d'enterrer Léon seulement quelques jours avant la Toussaint 1947. Au sens figuré du terme, ce 1er novembre est à marquer d'une croix dans la vie de Louise Pintou. Elle décide de rendre visite à ses amis, les frères Auguste et Joseph Massip.

En 1940, Auguste, ingénieur retraité de l'État et des Chemins de fer, s'installe en Poitou. À l'occasion des travaux de construction de ponts et autres ouvrages d'art qui l'ont mené en Amérique du Sud, en Espagne, en Syrie... il a beaucoup voyagé. À présent, Auguste Massip aspire à un peu de tranquillité. Il achète avec son frère, Joseph, ingénieur retraité des Eaux et Forêts, et sa sœur, Mme Guitton, le château de Montpensier. C'est une forteresse du XIe siècle de la commune de Vézières à quelques kilomètres de Loudun, construite par la fille de Louis XI.

À l'achat, il manque le toit du château mais il est doté de solides murs et de dix hectares de terres alentour. Une fois la restauration terminée, les visiteurs ne s'étonneront pas de voir dans la grande salle une imposante cheminée voisinant avec des haricots à sécher, une charrue, et une cuisinière où mijote la soupe. L'originalité et parfois la folie des deux frères étaient connues de tout le département. Quelques propos déviants, des lettres de réclamations souvent injurieuses, une prise de position hors norme de leur part n'étonnaient plus personne.

Aux alentours des années 1941-1942, sur présentation de Louise Pintou, ils entrent en relation avec les Besnard. Des échanges de visites et de services scelleront cette nouvelle amitié. Pendant la guerre, Léon Besnard cache un énorme rouleau de tissu appartenant à Auguste. Ce dernier est accusé de l'avoir acheté au marché noir. Le juge d'instruction poursuit l'affaire. Auguste Massip lui adresse une des lettres qu'il a coutume d'envoyer. Le juge n'apprécie guère et le rappelle à l'ordre. L'aide de Léon le protège. Aussi se doit-il d'assister aux obsèques de son ami. Comme le criera son frère, sourd d'une oreille, au cours de son témoignage : « Il fallait bien qu'un membre de la famille soit représenté. On a décidé que ce serait Auguste. »

Bien avant cet épisode, le lendemain de l'enterrement, Louise arrive au château de Montpensier.

Le château de Montpensier

La famille vend le domaine aux Bournan en 1307. Louis de Bourbon acquiert la seigneurie en 1459 auprès de son oncle maternel, Jacques de Bournan. Une vingtaine d'années plus tard, il procède à sa reconstruction. Légitimé en 1463, Louis de Bourbon est nommé lieutenant général de son demi-frère le duc Jean II. En 1465, Louis épouse Jeanne de Mirebeau, fille légitime de Louis XI. Le roi le nomme comte de Roussillon et grand amiral de France. À sa mort, sa fille hérite du château. Il entre ensuite dans le patrimoine de différentes familles. En 1545, l'un des propriétaires, le chancelier de France Guillaume Poyet, est embastillé. Il doit vendre ses terres à

François Ier. Ce dernier les cède à Jean d'Escoubleau, gentilhomme de sa chambre et maître de sa garde-robe. Montpensier demeure dans la famille jusqu'en 1714. En 1948, le château, alors propriété des frères Massip, brûla. Il fallut attendre 1981 pour que de nouveaux acquéreurs lui redonnent le cachet de jadis.
Un corps de logis surmonté d'un donjon et d'une tourelle d'escalier polygonale au sud sont les seuls bâtiments qui restent du domaine d'origine. Le logis s'élève sur trois niveaux. Le quatrième est situé sous les combles. Des fenêtres à meneaux agrémentent la façade. Des lucarnes richement ornées d'un fronton triangulaire habillent les combles. Quant au donjon, il s'élève sur cinq étages avec des fenêtres à meneaux.

Louise Pintou se confie à la famille Massip

Très agitée tout au long du repas, elle avoue avoir des confidences à leur faire.

« Savez-vous de quoi est mort Léon Besnard ?
– Justement, j'ai oublié de le demander aux obsèques.
– C'est horrible... C'est à ne pas y croire !
– Allons dites ! Qu'est-ce qu'il lui est arrivé à ce pauvre Léon ?
– Il a été empoisonné.
– Mais c'est impossible, qui a pu faire une chose pareille ?
– Sa femme Marie. Je vous explique. Léon m'a fait une confidence alors que nous étions tous les deux dans la chambre. Léon venait de vomir à nouveau. Et il m'a dit : "Oh ! mais qu'est-ce qu'on m'a fait absorber ?" Je lui demande si c'est le prisonnier. Il me répond :

"Non... Marie. C'était aux Liboureaux, nous allions manger de la soupe, j'ai vu un liquide dans mon assiette et Marie a versé la soupe dessus. Je l'ai mangé et presque aussitôt j'ai vomi." »

Après cette déclaration pour le moins surprenante, Auguste Massip consulte un dictionnaire médical. À la lecture de la définition d'arsenic, il demande à Louise si les symptômes correspondent à ceux constatés sur Léon. Elle confirme. Aussitôt, Auguste s'empresse de dire :

« Il faut le signaler à la police.
– Je m'en suis ouverte auprès de mon amie la postière, Mlle Michaud, et du docteur Chauvenet. Il soignait Léon. Il en a fait part à son collègue Gallois mais il me semble qu'ils ne l'ont pas pris au sérieux. Aussi, je crains d'aller plus avant dans cet aveu. Je ne veux pas d'histoire. Vous comprenez, je loue ma maison à Marie. Je ne veux pas être expulsée. »

Louise regagne Loudun le 2 novembre au soir. Ravie de son week-end, elle est soulagée d'un poids par sa révélation.

Quelques précisions...

Arsenic (*Petit Robert*) : chimie moderne fin XVIIIe. C'est un corps simple, de substance cassante, de couleur gris acier, que l'on rencontre dans la nature sous forme de sulfure ou d'arsénio-sulfure.
Arsenic (*Larousse médical*) : symptômes : constriction pharyngée, vomissements, brûlures digestives, diarrhées, déshydratation, œdème pulmonaire, insuffisance rénale et hépatique.

Traitement : dimercaprol, pénicillamine, vomissements provoqués, lavage d'estomac, traitement des symptômes, réhydratation. Conseils : hospitalisation immédiate.

Auguste Massip écrit au procureur de la République

Le **4 novembre 1947,** Auguste ne perd pas de temps pour aller trouver le juge d'instruction de Loudun. Il doit fournir une preuve écrite de son accusation. Cette lettre fera partie des pièces maîtresses du dossier d'instruction.

Il reprend mot pour mot ce que lui a confié Louise Pintou. Il ajoute quelques réflexions personnelles :

> *Il peut s'agir sans doute de paroles faites par un malade qui divague. Comme peut-être on pourrait vérifier si réellement M. Besnard est mort des suites d'une maladie normale ou d'un empoisonnement qui apparaîtrait sans doute invraisemblable puisque M. et Mme Besnard paraissaient faire bon ménage.*
> *D'autre part, tout s'est passé régulièrement puisque le malade a été assisté par M. le docteur Gallois... J'ajoute que M. Besnard et Mme Besnard étaient et sont nos amis, qu'ils sont les amis de Mme Pintou, et que Mme Pintou loge chez eux. Par conséquent si l'on faisait une enquête elle désirerait ne pas être connue à ce sujet par Mme Besnard. Je suis peiné de faire cette déclaration et je désirerais que, dans le cas où Monsieur le procureur croirait devoir faire une enquête, mon nom ne soit pas indiqué à Mme Besnard, du moins avant qu'une autopsie ait lieu...*

La lettre s'achève sur une formule de politesse.

Le procureur de la République de Poitiers ordonne

aux gendarmes de Loudun de mener une enquête discrète. Auguste Massip sera entendu. Il répète textuellement tout ce qu'il a reçu de son amie, c'est-à-dire ce qu'il a écrit au juge. Questionnée, Louise Pintou ne confirme pas du tout avoir dit à Auguste que Léon avait été empoisonné.

« Je pense qu'il a mal compris, messieurs les gendarmes. Je n'ai jamais dit que Léon avait été empoisonné par sa femme. Mais qu'il est bien mort d'une crise d'urémie comme l'ont confirmé ses médecins traitants. »

En se rétractant, elle insinue purement et simplement que l'accusation est issue de l'imagination de M. Massip. Quant au docteur Gallois, qui était cité dans la lettre, le secret professionnel lui interdit toute déclaration de ce type. Les gendarmes ne peuvent pas aller chercher plus loin. L'affaire est classée sans suite.

À la fin de l'année 1947, Louise Pintou, qui depuis sa retraite voyage à travers la France, part chez sa sœur en Haute-Vienne. Ensuite, elle gagnera le domicile de sa fille dans les Alpes. Durant son absence, plusieurs courriers fort aimables adressés à Marie démontrent à quel point son attitude est étrange après ce qu'elle est allée raconter à Auguste Massip.

La rumeur s'amplifie dans Loudun : « Marie Besnard aurait empoisonné son mari »

Les jours de marché, dans les cafés, à la poste, les Loudunais semblent avoir eu vent du contenu de la lettre de Massip. Les langues se délient.

« Serait-ce donc vrai ? Non, ce n'est pas possible. Elle qui est toujours prête à secourir les personnes seules ou dans la peine.
– Justement, elle éloigne ainsi les soupçons... Je vous le dis, elle n'aime que l'argent. Plus elle en a, plus elle en veut. »

Ils n'en finissent pas de palabrer à propos de celle qu'ils surnomment « la Marie ». La présence d'Ady entraîne, à nouveau, d'autres commérages. « Pourquoi est-il resté si ce n'est que pour faire du travail de fermier ? » On dit l'avoir vu dans des situations compromettantes avec Marie. Soulagées, les mauvaises langues le regardent enfin partir au printemps 1948. Un de parti, dix de revenus, ironise-t-on à la cour assidue de Jules Toussaint, le gérant de l'hôtel du Cheval blanc dont Marie est propriétaire. Leurs relations sont électriques depuis une sombre histoire de séduction à laquelle Marie Besnard n'aurait pas répondu. Elle imagine que Jules est le divulgateur de cette rumeur.

Les regards soupçonneux n'en finissent pas de se poser sur elle. Excédée, Marie déclare ses inquiétudes au substitut de la République de Loudun. Il est bien sûr au courant de l'enquête :

« Comme tout le monde j'entends la rumeur, Marie. Je comprends que ce soit difficile à supporter, toutes ces calomnies, mais le meilleur conseil que je puisse vous donner, c'est de ne pas y prêter attention. De toutes les manières, l'affaire est au fond d'un tiroir. Juridiquement, personne ne peut plus rien contre vous. »

C'était méconnaître le tempérament procédurier et la ténacité de certains personnages du pays.

Marie fait face. Son éducation paysanne l'a dotée d'une force intellectuelle et physique colossale.

Pour couvrir certains frais, en septembre 1948, elle vend en viager, à son jeune fermier Célestin Landré, la maison de Lucie Besnard, louée jusqu'à présent à Louise Pintou. En effet, la postière est fréquemment absente de Loudun. L'entretien de cette maison vide revient trop cher.

À son retour de voyage à l'automne 1948, Louise accueille très mal cette décision. Peu importe pour Marie, les affaires ne prennent pas en compte les sentiments. La postière évacue tous ses meubles. C'est à cette période que Marie demande à son amie s'il est bien exact qu'Auguste Massip a écrit au juge d'instruction. Louise essaye de se disculper : « J'ai pourtant tout essayé. Mais c'était impossible de le dissuader. »

Peu de temps après, un événement amène les frères Massip sur la scène des faits divers.

L'incendie au château d'Auguste Massip

Le **17 octobre 1948**, les pompiers de Loudun sont appelés d'urgence au château de Montpensier. À leur départ, il ne reste plus qu'une toiture calcinée et les pans de mur de la forteresse. Les Massip ont tout perdu. Auguste entre dans une rage folle. Il envoie, directement à l'État, des lettres de demande en réparation.

Une enquête de gendarmerie et de police est ouverte. Auguste Massip accuse Marie Besnard d'être l'incendiaire. Son motif : une vengeance contre la fameuse lettre qu'il a écrite au juge d'instruction. Il en écrit d'autres plus calomnieuses. Pour arriver enfin à confondre Marie, il les fait circuler dans Loudun.

L'hôtel du Cheval blanc, où se rend très souvent Auguste, semble faire office de poste. Jules Toussaint, l'éconduit, se transforme avec plaisir en colporteur. Marie Besnard est entendue à plusieurs reprises par les gendarmes. Ils n'obtiennent aucune preuve pouvant engager sa responsabilité.

Quelques jours plus tard, on retrouve, enfin, les auteurs de l'incendie. Deux enfants des domestiques employés chez les Massip jouaient avec des allumettes. Ils ont malencontreusement mis le feu à des fanes de haricots verts. L'embrasement du château ne s'est pas fait attendre. Une fois ces coupables arrêtés, Auguste Massip n'a plus assez d'arguments pour inquiéter Marie Besnard.

Un malheur n'arrivant jamais seul, Marie a l'immense douleur de perdre sa mère, le **14 janvier 1949**. À quatre-vingt-six ans, une mauvaise grippe ne l'a pas épargnée. Marie est effondrée. La fille et la mère se vouaient un amour indestructible. À cinquante-trois ans, la solitude est pesante. La vie continue. Ce dont Marie ne se doute pas, c'est combien il lui faudra de courage pour affronter ses détracteurs. Auguste Massip reste persuadé que c'est elle qui a échafaudé la mise en scène de l'incendie. Rancunier, le châtelain s'acharne sur Marie. Il alerte à nouveau les enquêteurs.

Le commissaire Nocquet et l'inspecteur Normand mènent l'enquête

Ils sont jeunes, tout juste la trentaine. Officiers à la 17e brigade de Limoges, le commissaire Nocquet et son bras droit l'inspecteur Normand ont pour ambition de « faire carrière » dans la police.

Pour l'instant, à l'exception de menus larcins, la province ne leur fournit pas de grandes affaires criminelles. Les avocats et les chroniqueurs judiciaires en déduiront ensuite que les faits relatés par Auguste Massip étaient une aubaine pour ces jeunes officiers. Nocquet sera désigné par la presse comme voulant jouer au commissaire Maigret. Le juge d'instruction dont ils dépendent a aussi l'âge de vouloir être ambitieux.

En effet, par les pouvoirs que lui confère la loi, le juge d'instruction, Pierre Roger, entend bien aller au bout de l'enquête. D'autant qu'après l'incendie, Auguste Massip s'est transformé en enquêteur privé. Il fait part de ses conclusions au commissaire.

À la mort de Marie-Louise Besnard, il a dressé une liste des décès survenus dans la famille ou chez les proches de sa fille. La liste est longue de douze noms. Chacun d'eux s'accompagne de legs en faveur de Marie ou des héritages tombés, par succession, les uns à la suite des autres, dans son patrimoine.

Les mobiles de la rumeur

Pour Auguste Massip, ces morts ne sont pas naturelles. Il y a un mobile évident pour lui : l'argent. Cette réputation suit Marie depuis son mariage avec Léon, il y a maintenant vingt ans.

Devant cette liste, MM. Normand et Nocquet approfondissent leurs investigations. Ils interrogent toutes les personnes susceptibles de leur apporter des informations supplémentaires sur Marie Besnard. Ils orientent ainsi leur enquête sur celle qu'Auguste Massip soupçonne.

L'inspecteur Normand n'est pas surpris par le caractère un peu dérangé de cet enquêteur privé. Il semblerait même avoir acquis sa confiance. Il n'y a pour le moment aucune preuve, que des racontars, sur lesquels s'appuie l'inspecteur. L'attrait de l'argent reste un mobile qu'il n'étudie pourtant pas avec assez de minutie. Si Marie Besnard a tué sa mère pour l'héritage, c'est fort mal réfléchi dans la mesure où elle est déjà soupçonnée comme incendiaire. En se fondant sur les commérages, il s'attache davantage au mobile de l'amant en la personne d'Alfred Dietz. D'autant qu'à la mort de la mère de Marie, le domestique revient l'aider pour les gros travaux.

Enfin, il met la main sur des lettres anonymes envoyées à des couples loudunais durant l'année 1946. Elles contiennent toutes sortes de diffamations, d'injures, d'accusations de nature érotique et de délations de cas de malversations.

Il faut tout essayer pour confondre Marie. Les lettres peuvent constituer au moins un début de preuve. Le professeur Edmond Locard de Lyon est désigné pour les analyser.

Les héritages

- *Auguste Antigny* : le premier époux de Marie, dont elle est légataire universelle pour une maison, une grange, une écurie, des terres, un jardin. Elle hérite de la moitié et ses beaux-parents du reste.
- *Marie Labrèche* : la grand-tante de Léon. Actif successoral de 69 572 francs[1].

1. Tous les francs mentionnés dans cet ouvrage sont, bien entendu, des « anciens francs ».

• *Toussaint Rivet* : ami de Marie. Il lègue tout à sa femme pour la somme de 84 738 francs qui fera de Marie sa légataire universelle.
• *Pierre Eugène Davaillaud* : père de Marie. Il laisse la ferme en héritage à sa femme.
• *Louise Labrèche* : grand-mère de Léon. Pour l'instant c'est la mère de Léon qui reçoit tous les biens de Louise.
• *Marcellin Besnard* : père de Léon. Ses biens meubles et immeubles reviennent à sa femme pour 227 000 francs d'usufruit.
• *Marie-Louise Besnard* : mère de Léon. Elle laisse en partage 262 325 francs entre sa fille et son fils.
• *Lucie Besnard* : sœur de Léon, qui est le seul héritier avec Marie pour un actif successoral de 479 818 francs.
• *Blanche Rivet* : amie des Besnard, femme de Toussaint. Actif successoral de 84 738 francs.
• *Pauline* et *Virginie Lalleron* : cousines des Besnard. Héritage de 3 191 francs. Mais il y aurait eu aussi un mobilier de 20 000 francs et des titres en espèces pour 50 000 francs.
• *Léon Besnard* : deuxième époux de Marie, qui lui a fait donation de tous ses biens, soit au final 2 491 948 francs.
• *Marie-Louise Davaillaud* : mère de Marie. Celle-ci disposera à sa mort d'un actif successoral de 263 873 francs.

C'est la première expertise de l'affaire Besnard. Elle donne le coup d'envoi à bien d'autres dans cette affaire où les batailles d'experts tiendront une place de choix.

Toutefois, il reste une personne essentielle à interroger, absente de Loudun : c'est Louise Pintou. La police ne comprend pas bien pourquoi elle s'est rétractée lors de l'interrogatoire. Il faut en savoir plus.

Que faire pour que Louise regagne son domicile et puisse être entendue par la police ? Il faut trouver un moyen de la faire revenir.

Un cambriolage suspect chez Mme Pintou

Un matin, la femme de ménage de Marie Besnard ramasse des effets de linge dans son jardin mitoyen de la maison de Louise Pintou.

Ce sera ensuite au tour d'une autre voisine de retrouver dans sa cour d'autres objets sans valeur appartenant à Mme Pintou. Étrange cambriolage où rien de coûteux n'a été dérobé. Les voleurs ont éparpillé les effets aux alentours de la maison. Les gendarmes restent perplexes, leur enquête ne donne rien, pas plus que la perquisition chez Marie Besnard.

Auguste Massip est tenace, il reste persuadé encore que « la Marie » est dans le coup. Coutumier des lettres, il en adresse une deuxième au juge d'instruction de Poitiers. Il conseille aux enquêteurs d'orienter leurs recherches vers Marie Besnard. Le juge, Pierre Guérin, diligente la police judiciaire pour mener l'enquête. Ils reconduisent les mêmes actions que les gendarmes, sans plus de succès.

Enfin, c'est le commissaire Nocquet qui procède pour une troisième fois, sur cette affaire de cambriolage, à l'audition des témoins et aux perquisitions. Cette enquête est un prétexte pour trouver des preuves contre Marie Besnard. Et notamment faire en sorte que Louise Pintou modifie son témoignage oral pour qu'il corresponde à l'accusation portée dans la lettre d'Auguste Massip. Sans cette rectification, la police judiciaire ne peut rien contre Marie Besnard.

Comme on pouvait s'en douter, Louise Pintou, alertée par le cambriolage, finit par regagner Loudun. Sur commission rogatoire, elle est entendue par l'inspecteur Normand le **26 avril 1949.** Sa déposition qui ne devait contenir que des questions sur le vol prend une autre tournure avec des révélations sur le déjeuner aux Liboureaux.

Louise Pintou avoue ici la confidence que lui aurait faite Léon sur son lit de mort.

L'inspecteur est assez satisfait mais il manque encore de preuves. Les « on-dit » sont insuffisants pour permettre une inculpation. Même si le rapport de l'analyse des lettres anonymes conclut que Marie Besnard est l'auteur des courriers. De surcroît, le docteur Locard précise que « les empoisonneuses sont souvent des anonymographes ».

Le procureur de la République ira cependant au bout de ses pouvoirs en demandant une expertise du défunt. Marie Besnard est immédiatement informée.

L'interrogatoire de Marie Besnard et d'Alfred Dietz

En ce midi du **9 mai 1949**, le déjeuner en compagnie de son notaire, Paul Demeule, s'achève lorsqu'un coursier de la mairie de Loudun frappe à la porte.

> « Tenez madame Besnard, ouvrez vite ce courrier, soi-disant que c'est urgent. »

Commission rogatoire

Article 122 du Code d'instruction criminelle (ancien Code de procédure pénale). Le procureur de la République peut requérir, par commission rogatoire, tous officiers de police judiciaire même en dehors du ressort de son tribunal de procéder à tous actes d'information dans les lieux soumis à la juridiction de chacun d'eux. Toutefois, il ne peut procéder aux interrogatoires et aux confrontations de l'inculpé que par un procureur de la République ou un juge de paix.

Dans le Code de procédure pénale de 1958, le législateur ajoute que « la commission rogatoire indique la nature de l'infraction, l'objet des poursuites. Elle est datée et signée par le magistrat qui la délivre. La commission rogatoire ne peut prescrire que des actes d'instruction rattachés directement à la répression de l'infraction visée aux poursuites. » Cette dernière partie de l'article est une garantie pour l'inculpé. En effet, pour le cas de Marie Besnard, son avocat, maître Hayot, constatera que les interrogatoires portaient sur d'autres faits que ce qui était prévu dans la commission rogatoire.

Marie n'en croit pas ses yeux. La lettre mentionne l'exhumation du corps de son mari pour le 11 mai. Sa présence est indispensable. Les viscères de Léon Besnard doivent faire l'objet d'une expertise pour connaître l'origine de sa mort. Voilà ce que la rumeur, dont on lui conseillait de ne pas faire cas, vient d'engendrer.

En milieu d'après-midi, une autre mauvaise surprise arrache Marie à son domicile. Deux policiers l'emmènent au commissariat.

« Veuillez nous suivre. On doit vous interroger sur les circonstances de la mort de votre mari. Vous êtes citée comme témoin dans l'affaire d'empoisonnement le concernant. Nous savons que c'est vous qui l'avez empoisonné.
– Non, messieurs, vous ne pouvez pas savoir ce qui n'existe pas.
– Ne faites pas la maligne avec nous. Vous serez bien obligée d'avouer puisqu'on a toutes les preuves. Mais ce qu'il faut nous dire, c'est comment et avec quoi vous l'avez fait.
– Je ne peux pas vous dire ce qui n'est pas. Je n'ai pas empoisonné mon mari... »

L'interrogatoire dure quatre heures. Les policiers ont bien essayé de la faire avouer mais sans succès.

C'est vers Alfred Dietz qu'ils se tournent. Le domestique a été emmené avec sa patronne. Il croise Marie dans la cour du commissariat. Alfred est effondré.

« Si vous saviez ce que j'entends. Je ne peux pas le croire.
– Moi aussi, je n'entends que des choses fausses à mon sujet. »

Au cours de cet interrogatoire et de tous ceux qui suivront, Alfred Dietz niera jusqu'au bout avoir entretenu des relations intimes avec sa patronne. Il ne pliera pas devant les menaces des enquêteurs qui veulent l'amener à dire, comme ils l'ont fait pour Marie, qu'elle a empoisonné son mari parce que celui-ci connaissait sa liaison avec lui. Les policiers le relâchent seulement vers minuit. Alfred est à plus de sept kilomètres de Loudun. Il doit rentrer à pied.

L'exhumation du corps de Léon Besnard

Le surlendemain, Marie, aguerrie par l'interrogatoire, se sent un peu plus forte pour subir l'épreuve de l'exhumation. Elle dure trois heures.

Une vraie procession se dirige vers le cimetière. Le cortège comprend le maire de Loudun, le juge d'instruction, le gardien du cimetière, les fossoyeurs et le médecin légiste désigné par le juge, le docteur Guillon de Marseille. Ce **11 mai 1949** restera indéfiniment gravé dans la mémoire de Marie Besnard. Elle ne peut pas retenir ses larmes et pousse des cris de douleur lorsque le cercueil de Léon remonte à la surface.

Le docteur prélève ce qui a été ordonné par l'expert nommé par la justice, le docteur Georges Béroud du laboratoire de Marseille.

Il fait partie de la liste des assermentés par la cour d'assises. Dix bocaux sont remplis et scellés. Ils partent le soir même par le train pour le sud de la France. Les rapports de départ et d'arrivée mentionnent des différences quant au nombre des bocaux. Ne parlons pas pour l'instant de la querelle des contenus. Ces anomalies ne manqueront pas d'être mises au jour par la défense. Pour l'instant, Marie Besnard est sous le choc.

Un détective privé enquête

Une fois passée l'épreuve de l'exhumation, les mauvaises paroles se remettent à siffler au passage de Marie. Presque deux années se sont écoulées depuis la lettre d'Auguste au procureur de la République. La rumeur n'a pas cessé de croître au sujet de l'empoisonnement de Léon Besnard par sa femme. L'affaire de

Mme Lafarge qui avait empoisonné son mari à l'arsenic en 1840 est encore dans les mémoires de certains.

La ville commence à être partagée. Ceux qui accusent l'« empoisonneuse de Loudun » affrontent le petit cercle des amis de Marie. Elle est très agressive dans ses *Mémoires* envers ses ennemis désignés sous les noms de Massip, Toussaint, Pintou. Dès la publication des résultats de l'expertise, elle veut immédiatement les attaquer.

Pour savoir qui tire les ficelles de ces accusations sans preuve, le notaire Paul Demeule lui conseille avant tout d'engager des détectives. Il lui propose les services d'une connaissance parisienne, dénommée Loccident.

Ce dernier, accompagné de deux gardiens de la paix de Paris, Delarue et Dinot, sous le couvert de fausses plaques de police, auditionne les principaux témoins. Ils confirment ce qu'ils ont précédemment déclaré à l'inspecteur. Cette enquête privée coûte de l'argent à Marie mais ne lui apporte pas la preuve qu'elle attendait. Pour ajouter à ses malheurs, les faux policiers sont arrêtés par les vrais. Le tribunal correctionnel de Loudun les condamne pour usurpation de fonction. Loccident, teinturier de son vrai métier, est condamné à six mois d'emprisonnement. Le gardien Dinot, à huit mois avec sursis. Son compère, Delarue, se voit infliger trois mois avec sursis. Ils interjettent appel de cette décision. La cour d'appel de Poitiers les relaxera.

Pendant leurs investigations, le laboratoire de Marseille est sur le point de rendre ses conclusions. Marie Besnard est confiante puisqu'elle clame son innocence. Paul Demeule l'avise toutefois que la police n'est pas dans son camp. Cela peut porter atteinte à sa confiance en la justice. Mais son attitude tout au long de la procédure démontre qu'elle a une foi inébranlable en la justice.

L'arrestation de Marie Besnard

Au matin du **21 juillet 1949**, la vie de Marie bascule dans l'univers du milieu judiciaire, dont elle ne ressortira que douze années plus tard. L'inspecteur Normand et le commissaire Nocquet sont accompagnés d'un chauffeur lorsque, peu avant 9 heures du matin, ils se présentent au 14, avenue de Poitiers. Marie n'a pas fini de ranger la vaisselle du petit déjeuner qu'elle vient de prendre avec son ami, le notaire Demeule. Sa femme et ses enfants font réellement partie de la famille. Marie le surnomme affectueusement son « fifils chéri ».

> « Restez tranquille, on fait un tour dans la maison et puis on partira tous faire un autre tour. »

La perquisition qu'ils effectuent ne donne rien. Sûrement cherchaient-ils des boîtes d'arsenic. En vain, personne n'en a jamais trouvé chez les Besnard. Toujours est-il qu'ils laissent la maison dans un désordre indescriptible. Marie n'aura pas le temps de ranger. Elle est contrainte de monter rapidement en voiture. Ady est aussi du voyage. Les clés de la maison sont confiées à une voisine.

Impossible de savoir vers où et pourquoi ils sont embarqués. Pour seule réponse, Marie s'entend dire :

> « Vous allez nous suivre, nous vous emmenons à Poitiers. Nous n'avons rien à vous dire. »

Une heure après, la porte de la police judiciaire de Poitiers se referme sur Marie Besnard, l'inspecteur Normand, le commissaire Nocquet. Un interrogatoire d'une journée va soumettre Marie à rude épreuve. Traitée de tous les noms, sans boire, sans manger, harcelée par la vulgarité de ces hommes, elle ne cesse de répéter que son mari n'est pas mort empoisonné par qui que ce soit.

Le docteur Georges Béroud

Originaire de Marseille, il est le plus réputé des experts des palais de justice. Ce médecin légiste, expert en chimie, en écriture et en armes à feu, directeur du laboratoire de criminologie de Marseille, est célèbre dans les prétoires depuis près de vingt ans. Sa compétence n 'est contestée par personne. Les savants les plus importants parlent de lui en nommant ses travaux l'« école de Marseille ». Certains avancent qu'il ne veut surtout pas déplaire aux magistrats l'ayant nommé expert. Les inspecteurs précisent qu'il fut aussi désigné parce qu'il vivait loin de Loudun. Ainsi le préservait-on de tout risque d'influence. On verra que son adjoint, le docteur en pharmacie et en sciences Aimé Médaille, contrôle ses travaux et parfois les exécute. Le docteur Béroud apparaît de corpulence imposante, avec des cheveux gominés mettant en valeur ses grosses lunettes d'écaille. Son accent marseillais chante avec naturel. L'élégance d'un complet moutarde ou bleu selon les chroniqueurs, d'une écharpe jaune vif et de chaussures luisantes de cirage fit sensation lors des audiences de Poitiers et Bordeaux.

« Ne nous faites pas marcher. On a toutes les preuves qu'il nous faut à présent. Figurez-vous que les rapports du laboratoire révèlent la présence d'arsenic. »

De la sorte, elle apprend les résultats positifs de l'expertise du docteur Béroud. Selon les méthodes de Marsh et de Cribier, les analyses mettent en évidence dix-neuf milligrammes d'arsenic sur les prélèvements du corps de Léon Besnard. Cette dose supérieure à la normale prouverait, selon le rapport, une absorption d'arsenic avant sa mort. À partir de cette constatation, il est facile de parler d'empoisonnement. Aussi, le juge d'instruction Roger persiste-t-il pour obtenir des aveux.

Marie, qui est entendue seule, sans la présence de défenseurs, estime que l'expert a pu se tromper.

« Que les analyses soient recommencées. Ce n'est pas possible, il doit y avoir une erreur quelque part.
– Un médecin légiste tel que le docteur Béroud est infaillible. Il est hors de question de contrôler son travail.
– Mais cela peut arriver à tout le monde de se tromper.
– Vous savez que les Baraudon, Toussaint et Mme Pintou ont toutes les raisons de vous soupçonner. Leur témoignage n'est pas en votre faveur. »

Deux méthodes

La *méthode de Marsh* est découverte en 1836. La matière organique à analyser correspond à dix grammes qui doivent d'abord être détruits. La solution ainsi obtenue est mélangée à de l'hydrogène alimenté par du zinc pur et de l'acide sulfurique.
S'il y a de l'arsenic dans cette solution, il s'unit à l'hydrogène et on obtient de l'hydrogène arsé-

nié qui sera donc mis en évidence par l'action de la chaleur. À ce moment-là, dans le tube, un dépôt noir se forme. L'arsenic ainsi libéré se condense sous forme d'anneaux métalliques. Ce sont les « anneaux de Marsh ». Reste à les doser par rapport à des anneaux témoins pour connaître la quantité d'arsenic.

La *méthode de Cribier* est découverte en 1874 par deux Français, Mayançon et Bergeret. Cribier l'a perfectionnée en 1921. La matière prélevée est détruite de la même façon que dans la méthode de Marsh.

L'hydrogène arsénié colore d'une tache jaune plus ou moins foncé un papier buvard imprégné de bichlorure de mercure. On mesure la quantité d'arsenic par la hauteur de la tache en fonction d'une échelle de mesure de référence.

Les deux mobiles retenus sont l'idylle avec Alfred et les fortes sommes reçues en héritage.

Interrogé simultanément dans un autre bureau, Alfred Dietz tient le même discours que lors de la première entrevue de mai 1949.

> « Je ne suis pas l'amant de Marie Besnard. Vous pourrez me torturer que je ne dirai pas le contraire. »

Son unique déposition suffirait pourtant à faire tomber la future accusée. Jamais ce ne sera le cas.

À 19 heures, Marie Besnard sort de l'interrogatoire sans s'être effondrée devant les policiers.

Pourtant, la chaleur, la déshydratation, la faim et les horreurs des discours seraient insupportables à n'importe quelle femme de cinquante-trois ans. Elle est demeurée forte et tranquille, durant cette journée éprouvante. Pourquoi en aurait-il été autrement ?

Elle est persuadée que la contre-expertise démontrera une erreur.

Loin cependant d'en avoir terminé, à 19 heures elle doit passer chez le juge d'instruction Pierre Roger pour être de nouveau entendue. Les questions sont les mêmes et les réponses aussi. Mais la brutalité a laissé place à un peu plus de politesse.

Marie, toujours sans l'assistance d'avocats, entend les mêmes accusations. Le juge lui conseille d'avouer afin d'alléger sa peine.

Mandat de dépôt

Article 95, alinéa 4, du Code d'instruction criminelle. C'est l'ordre donné par le procureur de la République au surveillant-chef de la maison d'arrêt de recevoir et retenir l'inculpé.
L'article 122 du Code de procédure pénale ajoute que ce mandat permet également de rechercher ou de transférer « la personne » lorsqu'il lui en a été précédemment notifié.

« Ce n'est pas possible, monsieur le juge, celui qui a fait l'expertise a dû se tromper.
– Vous ne savez pas de qui vous parlez. C'est une célébrité qui a fait l'analyse, et nous devons nous incliner devant ses conclusions.
– Mais, il ne pourrait pas recommencer, monsieur le juge ? Il s'est peut-être trompé et s'en apercevra.
– Non, cela n'existe pas, un savant comme lui ne se trompe pas.
– Alors, demandez à un autre pour voir tout de même.
– Non, on ne discute pas les décisions du docteur Béroud. »

Le juge est inflexible. La contre-expertise est impossible.

Le mandat de dépôt est signé. Marie Besnard est accusée d'avoir empoisonné son mari.

Henry du Cluzeau

Né en 1911 à Gouzon dans la Creuse, il suit ses études secondaires chez les frères maristes de Montluçon avant d'obtenir ses diplômes de droit à la faculté de Poitiers. Il prête serment en juillet 1935 alors qu'il sera inscrit au barreau de la ville le 17 juillet 1939. Durant la guerre, Henry du Cluzeau est retenu cinq ans prisonnier en Allemagne. Après la Libération, il se partage entre ses fonctions d'avocat et son mandat d'adjoint au maire de Poitiers. Place qu'il occupera de 1947 à 1959 tout en étant responsable de diverses associations à caractère social, scolaire et d'anciens combattants. Élu bâtonnier en 1962, il occupera cette fonction durant deux ans. En 1971, il s'associe à deux autres avocats, maîtres Quint et Drouineau, avant de prendre sa retraite en 1983. Pour anecdote, notons qu'il fut l'avocat et l'ami de Fernand Raynaud.

Après cinquante années de robe, il s'éloigne des couloirs du palais jusqu'à son décès, survenu le 5 janvier 1998 à Poitiers.

Elle part pour la Pierre-Levée, la prison de Poitiers. Les portes se referment sur celle qui allait devenir pour l'opinion publique « la Brinvilliers de Loudun, l'empoisonneuse de Loudun, la sorcière de Loudun, la Marie, la bonne dame de Loudun ». Un des plus grands procès de l'Histoire pouvait commencer.

L'ordonnance de onze nouvelles exhumations

Les formalités d'entrée à la prison de Poitiers se sont effectuées selon les règles du milieu carcéral. Remise des papiers d'identité, dépouillement de tous les objets de valeur, déshabillage et fouille intégrale.

Après ces étapes, il ne reste que les yeux pour pleurer dans une cellule obscure et étroite composée du strict minimum. Marie Besnard redevient un matricule X qui répondra durant le temps de sa captivité au seul nom de Davaillaud.

La cellule est minuscule, froide et grise, dotée d'une simple table, d'un tabouret, d'un lit, d'un lavabo et de toilettes. L'horreur du lieu enfonce Marie dans une nuit sans fin. Sa force de caractère revient vite.

La prisonnière s'adapte, demande à travailler pour finir par être très appréciée de ses codétenues et de tout le personnel surveillant.

Sur les conseils de maître Testard, avoué à Loudun, Marie Besnard choisit pour sa défense l'avocat maître Henry du Cluzeau. Inscrit au barreau de Poitiers depuis une douzaine d'années, réputé combatif, il séduit avec talent son auditoire.

René Hayot

Né en 1903 à Sidi Bel Abbes (Algérie), il arrive très jeune à Paris où il suit les cours du lycée Henri-IV. C'est à cette époque qu'il devient le disciple du célèbre philosophe Alain. Entré à l'École normale supérieure, René Hayot se destine au professorat. Cependant, il s'inscrit simultanément à la faculté de droit, et son choix professionnel s'orientera en fait vers la carrière d'avocat. Il prête serment au barreau de Paris en 1929. Durant la

Seconde Guerre mondiale, obligé de quitter Paris, il s'engage dans la Résistance. Depuis maintenant soixante-dix ans, maître René Hayot n'a cessé de plaider. Dans l'histoire du barreau, c'est un parcours exceptionnel. Un ouvrage retrace d'ailleurs cette carrière hors du commun, *Un avocat dans le siècle*, de son collaborateur et confident maître Elie-Steve Korchia. Durant sept décennies, ses interventions ont retenti de prétoire en prétoire avec comme seule préoccupation la volonté de défendre son client. Il est important d'observer qu'ayant souvent préféré ne pas se mettre en avant, il a réalisé dans l'affaire Marie Besnard un véritable travail de chef d'orchestre, sachant utiliser au mieux les qualités et les différences des intervenants. Il a ainsi su s'entourer des meilleurs conseillers.
Spécialiste de droit pénal, dès 1936, maître Hayot se fait connaître comme célèbre défenseur dans le double crime de la rue de Lyon. Il fut aussi le premier avocat à plaider pour un objecteur de conscience, Jacques Guillot. Procès qui fut retentissant. Son nom a enfin été cité à d'autres reprises, notamment dans la célèbre affaire des fuites en 1956 et dans l'affaire Ben Barka en 1966.

Toutefois, dans cette affaire, Marie Besnard veut s'entourer d'un autre avocat. À la lecture d'une coupure de presse, l'avocat du barreau de Paris maître René Hayot avait attiré son attention. Quelques affaires célèbres l'ont fait connaître du grand public. Âgé de quarante-six ans au début de l'affaire, il a fait obtenir gain de cause à ses clients dans des procès réputés difficiles. Elle estime qu'il est l'homme de la situation.

Elle ne croyait pas si bien dire. Il sut orchestrer la défense de ce procès avec brio. Maître Hayot écoute sa cliente, croit à son récit et accepte de plaider dans cette affaire.

La défense est alors prête pour un deuxième entretien, le 1er août 1949, avec le juge Roger. Les deux avocats de Marie Besnard sont présents.

Ils formulent à nouveau la demande de contre-expertise alors que, le 27 juillet 1949, le médecin légiste, le docteur Séta, procédait à la première série d'exhumations concernant les onze noms cités par Auguste Massip. Une lettre de refus datée du 1er août leur parvient, devant laquelle ils n'ont aucun recours juridique. La discussion sur l'expertise interviendra donc durant le procès.

Ce sujet sera le fer de lance de la défense. Il débouchera sur une bataille d'experts qui engendrera une procédure longue de douze ans. En 1958, le Nouveau Code de procédure pénale prendra en compte certains points de ces difficultés dans la rédaction des articles sur l'expertise.

Les débuts de la vie carcérale

Tandis que Marie Besnard vit ses premiers jours en prison, onze nouvelles exhumations sont donc lancées entre le 27 juillet et le 30 août 1949. La liste d'Auguste Massip soutenue par les propos de Jules Toussaint porte ses fruits. Les cimetières de Loudun, des Trois-Moutiers, de Saint-Pierre-de-Maillé et d'Angles-sur-l'Anglin reçoivent la visite du représentant du procureur de la République, du juge d'instruction, du greffier, du maire, de la gendarmerie, du gardien du cimetière et des fossoyeurs. Les tombes des parents de Marie et de ses amis Blanche et Toussaint Rivet sont ouvertes pour prélever ce qui reste d'organes. Des morceaux de cercueil, de vêtement et de terre sont aussi examinés. Une fois les bocaux contenant les prélèvements scellés, ils sont expédiés à Marseille au laboratoire du docteur Béroud.

Ce n'est qu'au moment des audiences qu'il sera fait état d'erreurs sur l'identité des cadavres prélevés, sur le nombre de bocaux expédiés et réceptionnés, sur des organes qui ne devaient pas exister et pour lesquels figure tout de même une analyse. Ces anomalies ont eu lieu alors que les experts ont prêté serment, que le nombre de témoins au cours des exhumations n'était pas négligeable et que des photos ont été prises !...

Dosages d'arsenic du rapport Béroud

- *Auguste Antigny* : 60 milligrammes d'arsenic sur 6 kilogrammes de viscères.
- *Marie Labrèche* : 35 milligrammes d'arsenic sur 6 kilogrammes de viscères.
- *Toussaint Rivet* : 18 milligrammes d'arsenic sur 6 kilogrammes de viscères.
- *Pierre Eugène Davaillaud* : 36 milligrammes d'arsenic sur 6 kilogrammes d'organes.
- *Louise Labrèche* : trop faible quantité pour conclure à la présence d'une dose anormale d'arsenic.
- *Marcellin Besnard* : 48 milligrammes d'arsenic sur 6 kilogrammes de viscères.
- *Marie-Louise Besnard* : 60 milligrammes d'arsenic sur 6 kilogrammes de viscères.
- *Lucie Besnard* : 30 milligrammes d'arsenic sur 6 kilogrammes d'organes.
- *Blanche Rivet* : 30 milligrammes d'arsenic sur 6 kilogrammes de matières organiques.
- *Pauline Lalleron* : 48 milligrammes d'arsenic

sur 6 kilogrammes de viscères (considérée avec sa sœur comme une seule et même exhumation).

• *Virginie Lalleron* : 20 milligrammes d'arsenic sur 6 kilogrammes de viscères.

• *Léon Besnard* : 19,40 milligrammes d'arsenic sur 6 kilogrammes de viscères.

• *Marie-Louise Davaillaud* : 48 milligrammes d'arsenic sur 6 kilogrammes de viscères.

En date du **31 octobre 1949,** le rapport du docteur Béroud est complet. Le docteur spécifie bien que la terre et les morceaux de cercueil examinés ne renferment aucune trace d'arsenic. Marie Besnard et ses avocats restent interloqués par ces résultats.

En plus de l'homicide volontaire sur son mari, elle est à présent inculpée d'homicide volontaire sur onze personnes.

Dans l'attente du premier procès

À cinquante-trois ans, Marie Besnard subit son incarcération dans un silence résigné. Au début, mise au secret, elle ne peut pas recevoir de visites à l'exception de celles de ses défenseurs. La journée est rythmée par les plateaux-repas déposés dans sa cellule par la surveillante-chef. Marie Besnard insiste pour obtenir une occupation. La tâche de l'épluchage des légumes lui est accordée. Marie semble revivre de 8 à 11 heures et de 12 à 14 heures, le temps que dure « l'épluche ».

Peu à peu, elle apprendra les astuces de la vie carcérale avec les modes d'achat des aliments ou des magazines.

L'accès à la bibliothèque est ouvert sur l'extérieur avec les visites de l'assistante sociale et de l'aumônier pour les prisonniers qui le désirent.

Durant le premier mois de détention, Marie est fatiguée par les interrogatoires qu'elle ne cesse de subir. Pendant ce temps, la presse se fait l'écho des derniers résultats de l'expertise.

L'incident avec le commissaire Nocquet

À la fin du mois d'août, dans l'attente du rapport complet du docteur Béroud, les défenseurs se retirent pour quelques jours de repos. Maître Hayot, au moment de prendre le train, est interpellé par un journaliste.

Les chroniqueurs locaux s'empressaient depuis le début de l'été de relater la moindre information au sujet de l'affaire. Il y avait les titres qui étaient persuadés de la culpabilité de Marie Besnard et ceux qui la croyaient innocente. Le journaliste en question insiste auprès de maître Hayot.

> « Si j'étais vous je ne partirais pas si vite. Vous commettez une erreur.
> – Mais tout est fini. Nous attendons seulement le rapport d'expertise. Que voulez-vous qu'il puisse arriver entre-temps ? Tout le monde est en vacances.
> – Écoutez mon conseil. Allez demain matin à la première heure à la prison. Vous y apprendrez beaucoup de choses. »

Intrigué, l'avocat se présente le lendemain au directeur de la prison. L'accès auprès de sa cliente lui est refusé.

« Marie Besnard est occupée.
– Mais je suis son avocat. Si vous lui dites que c'est maître Hayot, elle me recevra.
– Je ne peux pas la déranger. Je suis navré, maître.
– Je n'ai jamais entendu une chose pareille. Qu'à cela ne tienne, passez-moi le cahier des réclamations. On va voir si elle est occupée. »

Au moment d'inscrire ce refus de visite, comme par miracle, les portes s'ouvrent.

Maître Hayot n'est pas au bout de ses surprises lorsqu'en entrant dans la cellule, il surprend l'inspecteur Chaumier venu en aide au commissaire Nocquet, avec des journaux étalés devant Marie Besnard. Les titres sont accablants :

Enfin on tient la coupable... On a retrouvé des traces d'arsenic dans le corps des victimes...

Les journalistes ont donc été avertis avant les avocats ! Les résultats de l'expertise figurent en première page de tous les quotidiens. Marie Besnard est désignée. Il ne lui reste plus qu'à passer aux aveux. Ce dont se charge avec violence et acharnement le commissaire Nocquet.

Maître Hayot, révolté, intime à sa cliente :

« Je vous interdis absolument de répondre à qui que ce soit sans la présence de vos avocats. »

Cet incident finira de se régler trois années plus tard à l'occasion du premier procès. Le commissaire Nocquet demande qu'on le laisse interroger l'inculpée. Maître Hayot de répliquer :

« Ce que j'ai moi, à lui dire, peut être dit en votre présence et par conséquent ce que vous avez à lui dire peut également être dit en ma présence. »

Le lendemain, Marie Besnard est transférée dans une cellule occupée par deux autres détenues. Ce que l'inspecteur n'avait pas obtenu ce matin-là, il espérait l'obtenir par le biais des « moutons »

L'affaire des « moutons »

Pour dormir, Marie ne sera donc plus seule dans sa cellule. Deux jeunes femmes partagent sa vie carcérale. Dans le milieu des prisonniers on les surnomme des « moutons ».

Pour motiver officiellement cette surveillance, le juge Roger, selon les propos de l'inspecteur Normand, soupçonne Marie de vouloir mettre fin à ses jours. Il est préférable dans ce cas de la faire continuellement surveiller. Simone Coupier, originaire de Marseille, plusieurs fois condamnée, est arrivée à la Pierre-Levée il y a seulement quinze jours. Gisèle Royer est en prison pour escroquerie. Ce sont les fameux « moutons » qui doivent en réalité faire avouer à Marie qu'elle a empoisonné son mari. Enfin, pour compléter les mesures de sauvegarde, on lui retire tous les objets pouvant servir à mettre fin à ses jours. La nuit, la cellule reste allumée. Toutes les activités manuelles sont proscrites ainsi que les visites familiales. Ces mesures font sombrer la détenue dans un état dépressif et de pure folie. La pression psychologique est telle que Marie Besnard n'est plus maîtresse de son raisonnement.

Marie Besnard n'avait pas eu le temps de vraiment lier connaissance avec les détenues rencontrées à

« l'épluche » ou dans la cour. Elle se contentait pour l'instant de la compagnie de Marylou Garnier, à qui elle vouait une certaine admiration. Marylou purgeait une peine de dix ans prononcée en 1947. Ce serait le troisième « mouton ». Elle avait l'habitude du milieu et expliquait les « combines » à Marie.

Très vite, les « moutons » sont prêts à se répartir les tâches. Gisèle Royer fait en sorte de mettre le moral de Marie au plus bas. Elle lui martèle nuit et jour qu'elle est fichue, que ses avocats ne pourront pas la sauver... C'est à Simone Coupier que revient la tâche de remonter le moral en incitant Marie aux aveux et en élaborant avec elle un plan de vengeance. La rédaction de lettres fait partie du plan.

Sur leurs conseils, Marie Besnard demande par écrit d'obtenir l'élimination des accusateurs par un gang marseillais. Contrairement au règlement de la prison, ces missives parviennent aisément par le biais de Marylou Garnier avec la complicité de la surveillante-chef, Mme Dupuis, au commissaire Nocquet. Il obtient ainsi une lettre destinée au notaire Paul Demeule. Elle comporte les termes « je suis suis coupable ». Mais la détenue avait-elle toute sa raison au moment de la rédaction ? Que signifient toutes les fautes et la répétition de « suis » ?

Ma chère Marylou, oui je crois que j'était un peu folle de laissé cette lettre trainé, mais je ne savais pas, que les magistrats avait droit au choses personnelle, ma pauvre Marylou. Maintenant je suis une femme perdu perdu la chose est bien plus compromettante, je disait à Paul tâchez de vous procurer de l'arsenic pars vôtre frère faite des analyse aux Invalides au laboratoires militaire, Alors je disait mon fifils mettez en dans 5 ou 6 bouteilles et vous les metterez à l'endroit indiquer, vous direz à Alfred de vous aidé et s'il faut les faire analysés nous seront sur du résultat, alors je suis perdu perdu s'il reconstitue chose qui serait facile très facile. Que vais je répondre ma petite Marylou je suis suis coupable mais je serait bien prête à vous aider si j'était dehors, je suis perdu à moins d'une invasion et dire que tout tournais en ma faveur[1].

À la suite de ces événements, une nuit de septembre, éclate une violente dispute. Alertée par les cris, la surveillante ouvre la cellule. Marie Besnard est griffée, avec des traces de coups. Ses codétenues l'ont tout simplement battue parce que, à bout de force, Marie avait crié dans sa cellule. Les coups sont tombés. À partir de là, après un passage à l'infirmerie, Marie intègre une nouvelle cellule. Une vie plus calme succède à cet épisode d'intimidation. Le travail reprend au service de la lingerie. Marie gagne de l'argent et se retrouve un peu plus libre de ses mouvements au sein de la prison.

L'expertise psychiatrique

Du **21 juillet 1949** au **19 février 1952** et bien au-delà, durant toute sa détention, Marie Besnard demeure une prisonnière modèle. Les surveillantes et les gardiens ne pourront pas apporter d'autres commentaires :

> « Si toutes les détenues étaient comme elles, nous n'aurions plus de souci de surveillance. C'est elle qui remonte le moral de toutes les autres. On se demande où elle puise son courage. »

1. Lettre de Marie Besnard extraite de l'article du *Parisien libéré* du 17.3.1954. Les fautes ont été intentionnellement conservées pour démontrer combien Marie Besnard était anesthésiée par les « moutons ».

Elle reprend avec plaisir les travaux manuels et l'épluchage des légumes. De nouvelles amies la soutiennent. Excepté les interrogatoires du juge, pour le reste, Marie s'habitue à sa vie derrière les barreaux. Un seul intermède vient rompre son rythme de vie.

En **mars 1950,** le train rapide d'Hendaye via Poitiers arrive en gare d'Austerlitz. Il est 9 heures. Marie Besnard vêtue d'un manteau noir à col de fourrure déclare, souriante, aux journalistes :

> « J'ai fait un bon voyage. Gardez-moi les journaux.
> – Pensez-vous rester longtemps à Paris ?...
> – Je ne sais pas, le temps que durera l'expertise. J'ai confiance en la justice. Mon innocence ne tardera pas à être prouvée. »

Entourée par les gendarmes qui lui portent ses bagages, elle pose pour les photographes présents sur le quai. Marie Besnard enfin libre, pourrait-on penser ? Pas vraiment, dans la mesure où elle se rend à la prison de la Petite-Roquette pour subir des examens psychiatriques. Ils vont durer trois mois pendant lesquels Marie répondra aux questions, tests et autres examens nécessaires pour établir si elle avait bien toute sa conscience au moment des faits qui lui sont reprochés.

Des experts ont été nommés par le juge d'instruction de Poitiers. Il s'agit du docteur Laignel-Lavastine, professeur honoraire de la clinique des maladies mentales et de l'encéphale de la faculté de médecine de Paris, du docteur Cellier, ancien chef de la faculté de médecine de Paris, ainsi que du docteur Beaussart, médecin en chef des hôpitaux psychiatriques de Villejuif.

Si elle est déclarée responsable, Marie Besnard est

renvoyée devant les juges. Si elle est déclarée folle, un internement en asile sera prononcé.

L'amusement des questions du début laisse place à une certaine lassitude. Les recherches portent sur son enfance, sur ses relations avec ses parents. Ils étudient aussi ses réactions instinctives, ses colères, ses gestes, sa sensibilité, son degré d'imagination. Des examens physiques mesureront son niveau d'intelligence.

Des épreuves para-cliniques comme l'électro-encéphalogramme sont effectuées pour détecter une éventuelle lésion au cerveau.

Les premiers résultats des examens d'aptitude, de connaissance et de personnalité ne sont guère encourageants. En effet :

Son intelligence est normale mais avec une pensée peu évoluée. L'imagination n'est pas riche et son comportement est très terre-à-terre. L'affectivité est tournée exclusivement sur elle. L'émotivité est inexistante. Par ailleurs, les médecins la considèrent hypocrite et menteuse.

Nous sommes loin d'un portrait flatteur. On serait en droit de faire le rapprochement avec les ragots et les titres de la presse qui sont du même style. Un aspect plus positif du personnage se dégage avec :

la reconnaissance de son excellente mémoire, de sa volonté, de ses attitudes très maîtrisées. Marie ne semble pas facilement intimidable, ni influençable.

Les experts n'omettent pas de signaler dans leur rapport les incidents survenus dans sa vie qui leur sont apparus suspects. Il en va ainsi de l'empoisonnement du chien Castor. Lorsque sa mère est venue vivre chez elle, Marie ne savait que faire du chien. Personne ne voulait le prendre.

L'animal étant très âgé et souffrant, pour abréger son supplice, elle trouve plus judicieux de le faire piquer par le vétérinaire. Cet incident sera souvent relaté au cours des interrogatoires du président de la cour d'assises.

Son conseil à son amie Mme Rousseau ne manque pas, lui aussi, d'être relevé.

En 1945, son amie lui confie ses déboires conjugaux. Marie Besnard lui donne soi-disant l'idée d'empoisonner ce mari infidèle en lui disant :

> « J'ai la meilleure amie de mes amis qui a empoisonné son mari avec de l'arsenic, elle n'a jamais été inquiétée car c'est un poison qui ne laisse aucune trace. »

Mme Rousseau lui aurait répondu :

> « Je ne me sens pas capable de faire des choses semblables. »

Albert Gautrat

Né à Montluçon en 1888, il étudie au collège des maristes de cette ville, puis il poursuit ses études à la faculté de droit de Paris. Son serment d'avocat date de 1911. Inscrit au barreau de Paris en 1915, spécialisé en droit civil, de nombreux procès lui ont fait acquérir une certaine renommée. Il fut le défenseur de la Finance pendant une grande partie de sa carrière. Il a été membre du conseil de l'ordre de 1947 à 1951. Son nom est lié à de célèbres procès, celui de l'affaire Stavisky en 1935, entre les deux guerres, celui de la rue Dan-

rémont, le procès de l'assassinat du consul Norodini (représentant du gouvernement fasciste italien à Paris), et l'affaire des « 3J » de Melun pour laquelle il plaide avec succès pour défendre Claude Panconi, l'un des trois jeunes accusés d'avoir assassiné leur ami commun.
Au retour d'une affaire, alors qu'un taxi le dépose devant chez lui, le 18 février 1962, Albert Gautrat est victime d'un arrêt cardiaque. Au prétoire des assises de Bordeaux en 1961, on avait pu l'entendre dire : « Messieurs les jurés, je suis un vieil avocat, l'affaire Marie Besnard sera peut-être mon dernier procès... »

Cette conversation avait été recueillie bien avant la mort de Léon Besnard, par un gendarme auquel s'était confiée Mme Rousseau.

Pour finir, les experts psychiatriques déclarent Marie Besnard entièrement responsable de ses faits et gestes. Le docteur Cellier clamera à l'audience que :

> « elle est anormalement normale ».

Au début du mois de juillet, elle quitte avec un certain soulagement la prison de Paris où le règlement et les détenues sont plus durs qu'à Poitiers.

À la Pierre-Levée, elle retrouve ses habitudes.

La défense se mobilise

L'ampleur que prend désormais l'affaire sur le plan de l'expertise nécessite l'arrivée d'un troisième avocat. Maître Hayot propose judicieusement que l'on fasse appel à un membre du conseil de l'ordre.

La haine qui se développe autour de cette affaire est sans commune mesure. Les avocats sont des cibles privilégiées. L'opinion publique ne comprend pas que l'on puisse défendre une personne comme Marie Besnard.

Dans les restaurants, maître Hayot et son entourage ne peuvent pas s'installer dans la salle commune. Les injures tombent.

Articles du Code pénal sur lesquels est poursuivie Marie Besnard

Art. 295 : l'homicide commis volontairement est qualifié meurtre. Art. 296 : tout meurtre commis avec préméditation ou guet-apens est qualifié assassinat. Art. 299 : est qualifié parricide le meurtre des père ou mère légitimes, naturels ou adoptifs, ou tout autre ascendant légitime. Art. 301 : est qualifié empoisonnement tout attentat à la vie d'une personne, par l'effet de substances qui peuvent donner la mort plus ou moins promptement, de quelque manière que ces substances aient été employées ou administrées, et quelles qu'en aient été les suites. Art. 302 : tout coupable d'assassinat, de parricide et d'empoisonnement sera puni de mort. (La peine de mort est abolie depuis 1981, et est aujourd'hui remplacée par la réclusion criminelle à perpétuité.)

Aucune accalmie passagère n'est en vue. Aux sorties des palais de justice de Poitiers et Bordeaux, lors des différents procès, les avocats devront faire face à des jets de pierres.

Maître Hayot songe à l'un de ses confrères du barreau de Paris et membre du conseil de l'ordre, maître Albert Gautrat.

Il a acquis une expérience jugée indispensable pour affronter de face les experts. Maître Gautrat est placé au-devant de la scène, tactique envisagée d'un commun accord avec son confrère. Avant d'accepter de prendre la défense de Marie Besnard, il souhaite l'entendre.

L'accusée avoue :

« J'ai été bien plus torturée pendant son interrogatoire que par ceux du juge. »

Cela en valait la peine pour s'entendre dire :

« C'est bien, je vous défendrai ».

Maître Gautrat savait d'ores et déjà et il en avertissait sa cliente :

« Ils seront mille contre nous. »

Et d'ajouter une phrase qui prouve combien l'avocat avait saisi le fond de l'histoire racontée par Marie Besnard :

« Ne parlez pas de rancune à vos ennemis car ce sont eux qui vous sauveront. »

Pendant ces années où les pièces s'ajoutent au dossier, les avocats construisent leur défense. Ils se rendent sur les lieux, se penchent nuit et jour sur le rapport d'expertise. Maître Hayot désigne les experts, M. Perperot, expert chimiste pour la cour d'appel de Paris, et M. Georges Schuster, membre de l'Académie de pharmacie, de la commission du codex et du conseil supérieur des laboratoires, avec lesquels il va travailler dans l'ombre. Ils interviendront comme témoins lors des procès. L'avocat quitte sa robe pour la blouse du chimiste en pratiquant des expériences à son cabinet.

Par ailleurs, au moment des débats, maître Hayot aura l'intelligence de ne pas se mettre en avant sauf lorsqu'il le jugera opportun et de former un tandem judicieux avec maître Gautrat. En effet, les experts connaissant son habileté et sa force au pénal, ils auraient été encore plus sur leurs gardes. Alors que son confrère, Albert Gautrat, en tant que civiliste, était moins connu et donc moins redouté.

Quoi qu'il en soit, maître Hayot démontrera par la suite qu'il exécuta un travail colossal et tout en finesse à l'abri des projecteurs qui n'étaient pas son premier souci. Son unique motivation : défendre au mieux l'homme ou la femme qui lui donnaient leur confiance.

La contre-expertise est toujours refusée. Les discussions sur les analyses toxicologiques seront débattues devant la cour d'assises. Ainsi en a décidé le juge d'instruction le **30 juin 1950.** L'affaire Marie Besnard permettra justement d'apporter une modification à ce refus discrétionnaire du juge.

En attendant, les parties doivent patienter. La notification de l'acte d'accusation du 4 novembre 1951 annonce la date du procès au **20 février 1952** devant la cour d'assises de la Vienne à Poitiers.

Chapitre 2

Le compte rendu des trois procès

Trente mois après son arrestation, soit autant de mois d'instruction, le procès de Marie Besnard s'ouvre. Elle est accusée de onze assassinats sur des parents et une amie. Les mobiles sont de deux ordres : recueil d'héritage et liaison adultérine. L'opinion publique se délecte de cette histoire aux trois A : amour, argent et arsenic se disputent la une des journaux.

La manipulation par la presse a amplifié le caractère exceptionnel de l'affaire. Nous sommes à cette époque en plein essor de la communication écrite et parlée. Les chroniqueurs judiciaires ont leur place réservée dans le prétoire. Leurs papiers sont très attendus par le lectorat des quotidiens. La radio joue aussi un rôle déterminant dans cette affaire. Notamment en 1961, avec les célèbres comptes rendus d'audience de Frédéric Pottecher. Tous les journalistes décrivent Marie Besnard comme une accusée dotée du physique de l'emploi. La criminelle dans toute sa splendeur : traits épais, carrure imposante, regard effrayant avec des lunettes à double foyer qui lui donnent une apparence encore plus énigmatique. Ses vêtements noirs lui confèrent un air lugubre. Enfin, pour assombrir, s'il en était besoin, ce tableau, elle aurait empoisonné onze personnes avec de l'arsenic.

À cette époque, les criminalistes se préoccupaient de cette matière souvent utilisée dans le cadre d'empoisonnements de nature criminelle. Des articles scientifiques faisaient régulièrement état des avancées de la science dans ce domaine.

LE PREMIER PROCÈS, À POITIERS, DU 20 AU 25 FÉVRIER 1952

Le palais de justice de Poitiers est celui des ducs d'Aquitaine. Situé au cœur de la ville, il reçut Jeanne d'Arc qui y fut interrogée. La foule des curieux et des journalistes, français mais aussi étrangers, envahit la chambre de la cour d'assises. Il n'y a plus aucune place disponible, ni au palais, ni dans les hôtels de la ville. Des tables supplémentaires encombrent les passages. Des cabines téléphoniques supplémentaires sont provisoirement installées.

Les membres de la défense sont prêts. L'avocat de la partie civile qui va renforcer l'accusation aussi. Il s'agit de maître Roger-Adolphe Lacan, de la cour de Paris. Il a été sollicité par les représentants de la partie civile, c'est-à-dire des cousins germains de Léon Besnard, Charles et Marie-Charlotte Besnard, sa sœur. Leur père était le frère de Marcellin Besnard. Ils ne se sont pas fréquentés plus d'une fois dans leur vie, ayant quitté Loudun dès les années 1890. Charles habite à présent dans l'Isère, à Bourgoin, et Marie-Charlotte réside dans la Seine, à Bourg-la-Reine. Ni l'un ni l'autre n'apparaîtront au cours des trois procès. Charles se retirera en 1961, laissant sa sœur poursuivre jusqu'au bout. À noter qu'ils deviennent les héritiers de Léon si Marie Besnard est condamnée.

Tout le monde a pris place dans la salle. Un brouhaha précède l'arrivée des membres de la cour. Le silence a du mal à se faire. Au bout de quelques instants, le calme s'installe. L'audience du **20 février 1952** peut commencer. Après tirage au sort des jurés, la cour, présidée par le conseiller Edgar Favard, demande que l'on fasse entrer l'accusée.

L'affaire du mandat Chedozeau

De par son caractère plus banal, par rapport aux empoisonnements, il y a un chef d'inculpation sur lequel personne ne s'est attardé mais qu'aujourd'hui le juge compte bien régler, au bon sens du terme. Cette journée est donc consacrée au mandat postal. Marie Besnard est accusée de l'avoir, en 1949, injustement encaissé alors qu'il était au profit de sa tante, Mme Chedozeau. Celle-ci touchait une pension de retraite vieillesse de la Sécurité sociale. Trop éloignée de Loudun, la tante avait donné procuration à sa nièce pour encaisser l'argent. Marie réexpédiait la somme à sa tante. L'expert, Edmond Locard, reconnaît la signature du mandat postal comme étant celle de Marie.

Or, Mme Chedozeau est décédée trois ans plus tôt. Cette somme de 9 750 francs ne devait donc pas revenir à Marie Besnard.

En relevant cet incident, le juge d'instruction prouve ainsi que l'accusée est très attirée par l'argent. Elle nie pourtant que ce soit son écriture. Les enfants de la tante n'ont même pas témoigné contre Marie Besnard. Cependant, rien ne peut aller contre les conclusions de l'expert. Les juges lui font entièrement confiance. Après de courtes plaidoiries, la cour et le jury se retirent. Pour faux et usage de faux en écritures publiques, Marie Besnard est condamnée à deux ans d'emprisonnement et 12 000 francs d'amende.

Roger-Adolphe Lacan

Né à Paris, le 28 novembre 1905. Après des études à l'école Fénelon et au lycée Condorcet, ses pas l'amènent naturellement à suivre les cours de la faculté de droit pour devenir, comme son arrière-grand-père qui fut bâtonnier de l'ordre à Paris et son père avocat, un homme de robe.
Un passage à la direction des parfums François Coty lui donne déjà le goût des affaires, puisque, durant toute sa carrière d'avocat, il se spécialisera dans le droit des affaires. Il prête serment en 1935.
Maître Roger-Adolphe Lacan fut nommé président d'assocations à caractère économique et fiscal. De nombreux ouvrages juridiques et des articles dans *Le Monde* jalonnèrent sa carrière. Elle prit fin aux alentours des années 1980.
Maître Roger-Adolphe Lacan est décédé en mars 1998.

Cette première journée fut éprouvante pour l'accusée, il a fallu affronter pour la première fois le public depuis de longs mois d'isolement, la cour, les journalistes...

Au fil des audiences, Marie Besnard apprendra à gérer le stress de telles situations.

Rendez-vous est pris pour tout le monde le lendemain. L'opinion publique attend cette date comme le jour du grand procès du siècle. Ceux qui étaient divisés sur l'issue de l'affaire vont-ils pouvoir se réconcilier à la lecture du verdict ?

Marie Besnard est accusée d'avoir empoisonné

- En août 1938, *Marie Labrèche.*
- En juillet 1939, *Toussaint Rivet.*
- En mai 1940, *Pierre Eugène Davaillaud.*
- En novembre 1940, *Marcellin Besnard.*
- En janvier 1941, *Marie-Louise Besnard.*
- En mars 1941, *Lucie Besnard.*
- En décembre 1941, *Blanche Rivet.*
- En juin 1945, *Pauline Lalleron.*
- En juillet 1945, *Virginie Lalleron.*
- En octobre 1947, *Léon Besnard.*
- En janvier 1949, *Marie-Louise Davaillaud.*

La vie de Marie Besnard au grand jour des assises de la Vienne

Deux gardiens de la paix précèdent l'accusée. La centaine de journalistes présents mitraillent Marie Besnard, vêtue d'un manteau noir, d'une mantille et de gants de laine blanche. L'austérité qui se dégage de Marie Besnard est amplifiée sous la plume des chroniqueurs et par les clichés des photographes.

Le dossier est constitué de rumeurs, de témoignages dont certains à prendre avec précaution tels ceux d'Auguste Massip et de Louise Pintou.

Il n'y a pas moins de quatre-vingts témoins à charge. Selon le juge Favard, il faut d'abord s'appuyer dans un premier temps sur la démonstration, par les experts, que les corps des victimes contenaient des taux anormaux d'arsenic pour, dans un deuxième temps, en conclure que celles-ci avaient donc ingurgité des doses mortelles.

À partir de là, les témoins pourraient prêter serment

pour être entendus. Aujourd'hui, 21 février, le président Favard questionne Marie Besnard.

Tout son passé est étalé au grand jour avec en prime les insinuations apportées sur des faits retranscrits par les accusateurs. On reparle de la mort du chien Castor, de toutes celles en rapport avec les onze chefs d'inculpation et du déjeuner à la ferme des Liboureaux.

On reparle de ses conseils d'assassinat par l'arsenic à une amie qui se plaint d'un mari volage. De la liaison de Mme Pintou avec Léon Besnard. De celle imputée à Marie avec le domestique Ady. Des lettres anonymes reçues par les habitants de Loudun. Du détective privé Loccident qui repart bredouille, mais aussi de l'histoire des « moutons » à la prison de Poitiers.

Marie Besnard reste toute la journée debout. La coutume, lorsque le président interroge l'accusée, la contraint à se tenir dans cette position. Elle est exténuée. C'est dans ces moments, au retour des audiences, qu'elle apprécie le calme de sa cellule.

Une deuxième journée s'achève, Marie Besnard nie toujours les assassinats à l'arsenic dont on l'accuse. Les résultats accablants de l'expertise la feront peut-être changer d'avis. Les fossoyeurs qui ont assisté aux exhumations, les médecins légistes, les docteurs Guillon et Séta qui ont pratiqué les prélèvements ainsi que les experts, les docteurs Béroud et son collaborateur Médaille, sont entendus avant tous les autres témoins.

Le mélange des cadavres et l'erreur des bocaux

Aux différentes questions de la défense, les fossoyeurs répondent qu'ils ne sont pas certains que l'identité des cadavres ait pu être très exactement vérifiée.

La tombe de la grand-mère maternelle de Léon Besnard renfermait peut-être d'autres cadavres de la famille. La sépulture avait déjà été visitée lors d'une précédente exhumation. Les docteurs Séta et Guillon ont prélevé ce qu'ils ont pu.

> « Dans certains cas ce n'étaient que des débris. Il était difficile de dire de quel organe il s'agissait.
> – Mais dans quel état étaient les bocaux, docteur ? Est-ce qu'ils avaient été bien nettoyés avant de recevoir les organes ? »

La défense n'arrive pas à obtenir une réponse claire et précise.

> « Ont-ils été bien étiquetés ? Les scellés ont-ils été correctement posés ? »

Selon les avocats, le serment des médecins légistes et des fossoyeurs ne garantit pas la rigueur d'exécution de leur mission.

Ils comptent alors sur le docteur Georges Béroud pour obtenir des réponses plus rigoureuses.

Son entrée dans le prétoire est très remarquée. Il a fière allure. Une élégance naturelle lui confère un certain charme. Sa renommée ne le laisse pas indifférent. Il se plaît parfois à en jouer. Mais les critiques des avocats continuent néanmoins de tomber. Les négligences sont mises en évidence.

> « Des bocaux scellés contenant les restes de Blanche Rivet sont envoyés à Marseille dans une boîte non scellée. Au moment de l'expertise, comment expliquez-vous, docteur Béroud, qu'il manque des prélèvements, concernant des vêtements et des matières musculaires, que vous aviez pourtant ordonnés ?

– J'avoue que j'ai moi-même du mal à comprendre.
– Mais alors que dire pour les restes de Léon Besnard ? Ce sont dix bocaux qui partent dans une caisse non scellée. Seuls neuf sont réceptionnés. Celui contenant le larynx et les cheveux est perdu.
– Pas exactement maître, puisque ce bocal a été mélangé avec les restes d'un autre.
– Alors vous l'avez enfin retrouvé. Ce sont des bocaux qui apprécient les voyages.
Si on s'arrête sur le cas de Virginie Lalleron, morte en 1945, sur huit bocaux inscrits dans le rapport au départ de Poitiers, il en arrive dix au laboratoire de Marseille dont un contenant un œil. Vous savez sûrement mieux que nous, docteur, que la conservation normale de cet organe est de cinq semaines après le décès. Qui plus est, le docteur Séta avait spécifié que ce cadavre était réduit à l'état de squelette. Enfin, en ce qui concerne les restes de Marie-Louise Davaillaud, il y a un bocal qui manque et deux autres sont en trop. »

En soulevant ces anomalies, la défense met en évidence de nombreuses erreurs. Les jurés peuvent alors penser que dans une affaire de cette importance, dont dépend le destin d'une femme de cinquante-six ans, il est pour le moins inadmissible de rencontrer de telles négligences. D'autant que le docteur Béroud ne peut pas contredire ces constatations.

Il commence à se sentir très mal à l'aise face aux assauts répétés de maîtres Hayot et Gautrat.

La défense remet en cause les résultats du rapport du docteur Béroud

Comme son rapport le confirme, le docteur Béroud et son collaborateur le docteur Médaille ont décelé de l'arsenic en quantité anormale sur douze des treize cadavres exhumés. On ne trouve que des quantités insignifiantes dans le corps de Louise Labrèche, la grand-mère de Léon. Le décès d'Auguste Antigny est couvert par la prescription.

Les méthodes utilisées par l'expert pour détecter le poison sont celles de Marsh et de Cribier. Maître Hayot relève encore d'autres anomalies pour Pauline Lalleron.

> « Si l'on en croit vos analyses, la victime avait six kilos de cheveux ! Quant à sa sœur, docteur, vous avez affirmé qu'il n'y avait pas d'arsenic dans les lessives. Or, elle aurait absorbé cette substance à la place du bicarbonate de soude. »

Le docteur Le Breton, auquel faisait appel maître Hayot pour éclaircir les points obscurs du rapport, a trouvé de l'arsenic dans des lessives analysées selon des méthodes identiques à celles du docteur Béroud.

Ensuite, le docteur Béroud est interrogé par l'avocat sur les techniques employées. Ses réponses sont embrouillées.

> « Dans quel cas avez-vous employé l'une ou l'autre méthode ?
> – La méthode Marsh ou Cribier, c'est la même chose ou à peu près.
> – Il n'y a pas d'à peu près dans la science, docteur Béroud.
> – Il suffit de ne pas être de Paris pour être pris pour un imbécile. »

À chaque nouvelle intervention des avocats, l'expert perd pied. Il lance « ne pas être là pour passer un examen ». Ses capacités ne sont pas remises en cause.

Seule l'application des techniques employées manquait parfois de rigueur.

Maître Hayot avait d'ailleurs l'idée de les mettre en avant. En effet, le docteur Béroud avait écrit au juge qu'il pourrait reconnaître des anneaux de Marsh à l'œil nu. Ainsi, il disait inutile de procéder à une identification plus poussée de la présence d'arsenic. On pouvait en conclure que, pour certains prélèvements, il n'y avait pas eu de dosages spécifiques une fois les anneaux de Marsh découverts à l'œil nu.

> « Il est exact que je ne les confonds pas avec les anneaux d'antimoine, qui, eux, ne contiennent pas d'arsenic. »

Maître Gautrat, selon la tactique d'approche étudiée par maître Hayot, met le docteur à nouveau en confiance. Il lui signifie qu'il est bien le plus renommé des experts. À ce moment, l'avocat lui présente des tubes, passés sous la manche par son confrère, maître Hayot.

> « Voici six tubes, docteur. Ils contiennent tous des mélanges avec des traces toxiques. Lesquels d'après vous contiennent de l'arsenic ? »

Le docteur Béroud s'accorde le temps de la réflexion. Il détaille les tubes. Se déplace dans le prétoire. Ajuste ses lunettes. Silence dans la salle, à l'exception des photographes qui le mitraillent.

> « Ces deux-là contiennent de l'arsenic. »

Maître Gautrat prend son temps. Tranquillement, il déclare :

« Docteur, aucun des six tubes ne contient de l'arsenic. »

Stupeur dans les rangs. Le procès prend une tournure exceptionnelle. Ceux à qui l'on refusait une contre-expertise jubilent. La renommée du docteur Béroud s'effondre, sa carrière avec.

Maître Hayot ne peut se retenir :

« Docteur Béroud, vous êtes jugé ! »

Le président Favard ordonne le calme dans la salle. L'avocat général, maître Girard, intervient.

« Les mérites ne viennent pas uniquement de Paris et, sur beaucoup de points, la province vaut bien Lutèce. »

Dans le cas présent, les jurés sont en droit de penser tout autrement. L'audience est suspendue.

Sur quoi, désormais, va bien pouvoir s'appuyer l'accusation ?

L'accusation manquera-t-elle de preuves déterminantes ?

En ce 23 février, le juge Favard revient sur le terrain de l'expertise. Le docteur Béroud est absent pour cause de maladie. La défense le déplore, l'interrogatoire n'est pas terminé.

Son collaborateur, Aimé Médaille, le remplace. Maître Hayot demande un contrôle médical pour savoir quand reviendra le malade. Pour aujourd'hui, il faudra se contenter du docteur Médaille. Aux questions des avocats, ses réponses sont complexes et ne satisfont personne. On découvre dans le rapport des analyses de prélèvements concernant des organes qui ne pouvaient pas se trouver sur les victimes. Il y a aussi des inexactitudes quant au poids des viscères examinés. L'état général des matières prélevées n'est pas mentionné. Des organes ont été mélangés...

Pour des explications plus complètes, le juge Favard estime préférable d'attendre le retour du docteur Béroud lors de la prochaine audience.

Le 24 février, les contre-experts cités par la défense démontrent que les analyses n'ont pas été menées avec assez de rigueur. Il y a des aberrations qui ne sont pas dignes d'un scientifique. Pour un expert de cinquante-cinq ans, renommé dans la France entière, la critique passe mal. Son avenir professionnel est en péril. Georges Béroud fait son retour à l'audience, soutenu par deux gendarmes. Un journaliste s'étonne : « Déjà !... » Le docteur refuse de débattre avec son confrère Schuster, cité par les avocats de Marie Besnard.

Le docteur Perperot déclare de son côté :

> « J'ai trouvé de l'arsenic dans la terre extraite du cimetière de Loudun. Mais je n'ai eu connaissance de la provenance de cet échantillon qu'après avoir communiqué les résultats à maître Hayot.
> Enfin, si le rapport mentionne qu'un des empoisonnements a été réalisé par l'ingestion d'arséniate de plomb, malheureusement, je n'ai pas trouvé de chiffres prouvant que la recherche de plomb dans les viscères a été effectuée. »

Devant toutes ces erreurs, la défense demande une contre-expertise pour que la cour puisse juger Marie Besnard sur des rapports qui ne puissent pas engendrer de telles polémiques.

Le renvoi du procès pour de nouvelles expertises

Le 25 février, ce procès amène le juge à accorder la nomination de deux experts toxicologues et d'un expert médecin légiste.

> « Je déclare, dit-il, qu'ils auront pour mission dans les deux mois qui suivent :
> – de procéder aux exhumations sur les cadavres pour lesquels les contre-experts ont émis des doutes quant aux résultats ;
> – de prendre possession des bocaux concernant cette affaire qui sont restés au laboratoire du docteur Béroud ;
> – de notifier pour chacun des cadavres s'il s'agit d'une mort naturelle, par accident ou s'il y a eu une volonté de les supprimer intentionnellement ;
> – il faudra aussi préciser la quantité, la période, la nature de la substance absorbée, si tel est le cas, par les victimes. »

Quelques précisions...

Témoin à charge : personne citée par le ministère public ou la partie civile pour convaincre le juge de la réalité de l'infraction et de la culpabilité de l'individu poursuivi.
Témoin à décharge : celui qui dépose en appuyant la thèse de la défense. Sa déposition est favorable à l'accusé.

(*Vocabulaire juridique*, Gérard Cornu.)

Maître Roger-Adolphe Lacan estime que cette décision ne se justifie pas dans la mesure où les témoignages suffiront à prouver la culpabilité de l'accusée. Mais pour le juge, dès lors que la présence d'arsenic n'a pas été déterminée avec exactitude, il ne souhaite pas fonder le verdict de la cour sur des rumeurs. Les témoins à charge ne seront donc pas entendus à ce procès.

À son plus grand désarroi, Marie Besnard reste en prison. Si les délais de la remise du rapport de la nouvelle expertise sont respectés, elle devra patienter à la Pierre-Levée encore deux mois.

La méthode Griffon et Barbaud

Elle est utilisée uniquement pour les cheveux. Cette méthode nécessite de se rendre en banlieue parisienne puisque c'est à Châtillon que se trouve la pile atomique Zoé. Les cheveux sont introduits dans la pile où ils sont bombardés de neutrons ; s'il y a de l'arsenic, ces derniers sont absorbés par le cheveu.

S'il y a eu absorption d'arsenic, celui-ci est rendu radioactif au bout d'un certain temps d'attente (vingt-six heures). Les radiations sont mesurées avec un compteur Geiger. La fréquence qui s'imprime est caractéristique pour l'arsenic ainsi que pour chacun des métaux. Le compteur mesure la teneur en arsenic. De plus, il est localisé exactement à l'endroit où le poison a pris pied.

L'arsenic, sous quelque forme qu'il se présente, se fixe douze à trente-six heures après l'absorption sur les cheveux, les poils, les ongles. Si sa trace est éloignée de la racine, le cheveu a donc poussé depuis la prise d'arsenic.

On peut ainsi détecter la période où la victime a été intoxiquée en prenant en compte la vitesse de pousse et la longueur totale d'un cheveu.

Le deuxième épisode des onze exhumations

Les nouveaux experts vont devoir employer toutes les méthodes anciennes et nouvelles pour déceler et doser le poison. Aux deux méthodes classiques de détection de l'arsenic, Marsh et Cribier, s'ajoute une nouvelle technique américaine introduite en France par l'expert Henri Griffon : la méthode Griffon et Barbaud. Le professeur Joliot-Curie la présente comme une nouveauté. Fondée sur le principe de la radioactivité avec la pile Zoé, elle est utilisée par l'expert pour le dosage de l'arsenic dans les cheveux.

Les experts sont désignés par le juge de la cour d'assises de Poitiers, il s'agit du professeur Émile Khon-Abrest, ancien directeur du laboratoire de toxicologie de Paris, du professeur René Fabre, doyen de la faculté de pharmacie, professeur de toxicologie à la faculté de Paris, membre de l'Académie de médecine, ainsi que du professeur Henri Griffon, agrégé au Val-de-Grâce, directeur du laboratoire de toxicologie de la préfecture de Police, sans oublier le médecin légiste, le professeur René Piédelièvre, président du conseil national de l'ordre des médecins. Ce dernier doit effectuer les prélèvements et contrôler par la suite le rapport de ses collègues. Tous les trois procèdent à de nouvelles autopsies et rédigent un nouveau rapport.

Émile Khon-Abrest

Arrivé en fin de carrière depuis une quinzaine d'années, il travaille à son compte alors qu'il fut directeur du laboratoire de toxicologie de Paris. Dans sa propriété de Brunoy, en Seine-et-Oise, il a installé un centre de recherches personnel.

Les policiers et les magistrats lui confient les affaires les plus délicates.
Le professeur, septuagénaire, effectue cent à cent cinquante analyses par an dont chacune peut demander une vingtaine de manipulations.
Il est à l'origine d'inventions telles que l'aérodoseur qui signale les émanations dans les voisinages d'usines, de l'instrument pour analyser les gaz du sang. Il a perfectionné la technique de Marsh.
Émile Khon-Abrest est l'auteur d'un précis de toxicologie. Avec son aide, les avocats ont obtenu en 1918, après vingt-cinq ans de bagne, la grâce du pharmacien Danval.
Le professeur contribua à élucider la mort mystérieuse du banquier belge Loewenstein (1918), le crime de Violette Nozières (1938) et l'énigme de Pont-Saint-Esprit.

Les onze exhumations ordonnées en **février 1952** sont effectuées les **22** et **23 mars** de la même année. Les représentants officiels de chaque localité des cimetières et de la justice sont présents comme la première fois en 1949. Les avocats de chacune des parties sont là, alors qu'ils ne l'étaient pas précédemment, puisque Marie Besnard n'était pas encore inculpée. Il a fallu prévoir un service d'ordre plus conséquent. La meute de journalistes est difficile à contenir. Pour suivre le cortège, ils se cachent dans des charrettes.

Pour de meilleurs clichés, ils dissimulent leurs appareils photo dans les couronnes mortuaires.

Les voitures des policiers, magistrats, avocats, élus... se déplacent d'un cimetière à l'autre. Le professeur Piédelièvre opère dans une tente. Cent cinquante bocaux, qu'il a pris soin d'apporter lui-même, sont scrupuleusement remplis. Il prélève des débris et des restes cadavériques putréfiés ou disloqués, des copeaux de bois des cercueils, des restes de vêtements, de la terre. En fait, ce que l'on a encore la chance de ,uver. Les procès-verbaux mentionnent l'identité des cadavres, pas toujours facile à identifier, et des organes prélevés. Ils sont rédigés sur place par le greffier. Scellés, les bocaux sont expédiés le jour même à Paris.

Requête

Acte écrit et motivé présenté directement au juge dans les procédures non contradictoires. Il est souvent demandé dans cet acte un recours administratif ou contentieux.

(*Vocabulaire juridique*, Gérard Cornu.)

Les six rebondissements avant l'ouverture du deuxième procès

À partir de cette période, une succession de rebondissements tient en suspens la date du prochain procès qui finalement n'interviendra qu'en **mars 1954,** soit deux ans après le premier.

La demande d'analyses complémentaires, lors de la remise du premier rapport en décembre 1952, constitue le premier rebondissement. Les magistrats de Poitiers sont insatisfaits. Si les premières analyses démontrent que la terre contient de l'arsenic, les experts ne veulent pas en tenir compte. Ils affirment que l'arsenic présent dans le corps des victimes a pu être absorbé seulement avant leur mort. De nouveaux examens doivent être pris en compte.

Le deuxième rebondissement a trait au nombre de victimes. Les experts n'en retiennent plus que six sur les onze. Il s'agit du père, de la mère, du beau-père, d'une des cousines, de l'amie et du mari de Marie Besnard.

Le troisième rebondissement vient des avocats de la défense qui déposent en cassation une requête en suspicion légitime.

Le contenu de la requête porte sur les caisses qui servent à récupérer dans la tombe les restes qui n'ont pas été autopsiés. En réalité, si elles sont mentionnées au procès-verbal, elles n'existent pas et les restes des cadavres sont donc mélangés. Les viscères ont par ailleurs été, eux aussi, mélangés. Des scellés ont été perdus. Des médicaments absorbés avant la mort n'ont pas été identifiés par les experts. Devant de telles négligences, la requête s'impose même si cette procédure retarde la date du procès. Les avocats en sont tout à fait conscients.

Le quatrième rebondissement tient à la disparition de treize bocaux. Après des recherches, ils sont retrouvés à Marseille. Sous serment, le docteur Béroud avait affirmé les avoir détruits. Son adjoint a depuis procédé à des expériences sur leur contenu. La défense refuse qu'on les prenne en compte pour de nouvelles analyses. Le juge accepte ce refus.

Le cinquième rebondissement est amené avec l'arrêt du **10 juin 1953.** La Cour de cassation estime que les passions sont trop vives en Poitou. La sécurité publique est en jeu. C'est la cour d'assises de la Gironde qui est requise pour juger l'affaire. Le procès se déroulera à Bordeaux. L'accusée arrive à la prison du fort du Hâ de Bordeaux, le **10 juillet 1953.** Elle doit s'habituer à un nouveau règlement intérieur.

Grâce à l'intervention de son troisième avocat, maître Jacqueline Favreau-Colombier, elle obtient une cellule individuelle et la possibilité de travailler, ce dont Marie Besnard ne se prive pas pour vaincre l'ennui. Au risque, en plein mois d'août, d'être victime d'une alerte cardiaque. De nouvelles amies lui font oublier la dureté de la vie carcérale. Les visites quasi quotidiennes de maître Favreau-Colombier qui devient son amie et sa confidente lui procurent du réconfort. Maître Hayot avait eu l'idée de choisir cette consœur, sachant que l'attente du deuxième procès serait longue. Une femme était plus à même de calmer et de comprendre les angoisses de l'accusée. Les interventions de l'avocate seront très remarquées lors de la défense psychologique de l'accusée.

Justement le procès de Bordeaux est encore ajourné en raison du sixième rebondissement, qui entraîne des expertises complémentaires. Le professeur Piédelièvre est requis. Les magistrats de la Gironde ne veulent pas juger à la légère. Ils estiment que des points obscurs doivent être éclaircis.

« L'arsenic ne provient-il pas des eaux de ruissellement véhiculées par la terre du cimetière ?
– Nos résultats d'analyses certifient que non. »

René Piédelièvre

Enseignant à la faculté de Paris. Âgé de soixante-deux ans, c'est un expert près les tribunaux depuis fort longtemps. Il est aussi médecin légiste. Deux de ses ouvrages font autorité : *Abrégé de médecine légale* et *Les Blessures par armes à feu*. Spécialiste des grandes affaires criminelles, il fut un des six experts de l'affaire Stavisky.

Elles ont été pratiquées dans de l'eau distillée. Les experts de la défense précisent au vu de cette réponse que les eaux de pluie coulant dans les cimetières ne sont pourtant pas pures. Elles sont chargées de microbes, de corps étrangers... Maître Hayot, en liaison avec les plus grands spécialistes de chimie et de biologie, fait procéder à une autre analyse par les services de l'hygrométrie (partie de la physique qui a pour objet de déterminer le degré d'humidité de l'atmosphère) de la Météorologie nationale à Montrouge. Le directeur du laboratoire des eaux de la Ville de Paris, Marcel Le Peintre, va prouver lors du procès que cette eau contient effectivement de l'arsenic.

En attendant, il faut patienter jusqu'au **29 janvier 1954** pour recevoir le rapport du professeur Piédelièvre qui a vérifié les analyses des autres experts, MM. Khon-Abrest, Fabre et Griffon.

Le rapport suscite des questions de la part des avocats. Les principales réponses résument les points essentiels des conclusions émises par le professeur Piédelièvre.

> « Combien faut-il de milligrammes d'arsenic pour tuer un individu sachant que depuis quelques années le corps s'est habitué à recevoir des substances chimiques ?
> – Les composés arsenicaux sont nombreux. Ce qui est dosé, c'est l'arsenic métallique. Or, les arsenics minéraux ne sont pas toxiques de la même manière. La réaction des personnes est variable en fonction de la présence de tel ou tel toxique. Donc les chiffres des experts sont relatifs.
> – Les experts n'ont-ils pas commis de graves erreurs d'interprétation, en calculant arbitrairement la perte de liquide d'un débris cadavérique desséché ?

– Le dessèchement est important et la perte de poids peut aller jusqu'aux trois quarts du poids de l'individu. Au cours de la putréfaction, les transformations qui ont lieu peuvent entraîner la perte de l'arsenic. Donc on ne peut pas donner une valeur médico-légale irréfutable à ces dosages d'arsenic.
– Quel crédit accorder à la méthode Griffon-Barbaud ?
– Elle est récente mais elle ne permet pas encore de fixer au jour le jour l'allure d'une imprégnation arsenicale puisque la pousse des poils n'est pas régulière.
– L'arsenic qui imbibe la terre ne peut-il pas se dissoudre dans la pluie et passer ensuite dans les cheveux du cadavre ?
– Nous avons la certitude que l'arsenic peut se fixer à la surface du poil mais il peut être éliminé aux lavages. Ce à quoi ont procédé les experts. Pourtant, ils ont dosé de l'arsenic.
– Si l'eau chargée d'arsenic arrose un cadavre, ce dernier peut-il contenir le poison ?
– Si l'arsenic est non soluble dans l'eau de pluie il ne pénètre pas dans le caveau. Mais on peut penser que l'arsenic se dilue sous l'influence des effets de la décomposition des cadavres et de la fermentation des microbes. Ainsi, il pourrait souiller un cadavre. Pour l'instant, rien n'a été prouvé dans ce domaine. »

Malgré la prudence de ses propos, le professeur trouve que, de toutes les manières, il y a des quantités trop fortes d'arsenic. Il ne peut en aucun cas provenir de l'extérieur. Il a été absorbé avant les décès.

Ce fut long mais le jour tant attendu est fixé au **15 mars 1954** à 14 heures. Le palais de justice de Bordeaux abritera ainsi sa quarante-deuxième affaire d'empoisonnement sur un siècle et demi.

Le deuxième procès, à Bordeaux, du 15 mars au 1er avril 1954

Aux côtés de l'avocat général Steck, le président de la cour d'assises de Bordeaux, Henry Pourquery de Boisserin, à l'accent méridional, déclare l'audience de ce 15 mars ouverte. Les trois avocats de la défense sont plongés dans leurs notes. Chacun a une tâche précise. Maître Favreau-Colombier aura en charge l'aspect psychologique du procès. Maître du Cluzeau s'occupera des Loudunais accusateurs qui se sont servis des ragots pour faire inculper Marie. Maître Gautrat détruira l'assurance de Louise Pintou ainsi que celle des experts. Avec la complicité et le travail fourni en coulisse de maître Hayot, qui se réserve les experts. Le représentant de la partie civile a laissé sa place à maître Paul de Caunes, avocat à la cour de Bordeaux.

Une lettre de Marie Besnard

L'inculpée est incarcérée à la prison de Bordeaux où elle est une prisonnière modèle. Elle dispose du droit de correspondance, limité à trois missives hebdomadaires. À sa demande, elle vient d'être transférée à l'atelier de broderie. La lettre suivante est datée du 26 février 1954, à l'attention d'une amie d'enfance, Marie Joustin.
« ... Tout d'abord laissez-moi vous remercier avec toute ma gratitude de ce message qui m'a affecté avec de vieux souvenirs, un véritable baume à ma souffrance morale dont je ne puis vous décrire la grandeur...
Hélas ! ce temps évoqué de notre jeunesse est loin et comme vous le dites si bien notre ferme des Liboureaux ne peut contenir le secret de ces crimes infâmes que la méchanceté et la calom-

nie des gens jaloux m'ont fait suspecter. J'ai tellement confiance en la justice et la miséricorde de Dieu que je ne doute pas un instant de celle des hommes. Malgré les mois d'attente, je me sens tellement soutenue que je vais affronter mes juges sans honte mais forte de mon innocence, et ce procès tant attendu doit se dérouler le 15 mars prochain à Bordeaux où j'ai été transférée le 10 juillet 1953. Ma chère amie vous raconter mon calvaire serait un véritable livre ouvert. J'ai malgré tout l'espoir de voir éclater la lumière et de confondre ceux qui s'étaient fait gloire de me voir finir mes jours en prison. Il ne me restera qu'à chercher à oublier tous ceux qui ont pu me faire beaucoup de mal. En ce qui concerne les miens qui reposent dans la paix de Dieu, que ce repos soit pour eux et pour moi. Lorsque je les aurais retrouvés, une deuxième vie dans la douceur et l'abnégation du Seigneur... ».

La lettre se termine sur la prise de nouvelles de la famille Joustin.

L'interrogatoire de Marie Besnard

À la lecture de l'acte d'accusation, Marie Besnard reste debout. Les paupières baissées, elle ne peut pas s'empêcher d'étouffer des sanglots à l'évocation de sa mère. La vie carcérale accentue ses problèmes de santé.

Comparativement au procès de Poitiers, elle apparaît vieillie. Un peu amaigrie et habillée avec moins de lourdeur. Sa monture de lunettes s'est allégée, la mantille est remplacée par un léger voile noir retombant à l'arrière de la tête. Les apparences sont modifiées mais que renferme son âme ? interrogent encore les colonnes des journaux.

L'avocat général annonce qu'il ne reste que six cadavres dont la mort est déclarée suspecte sur les onze du dossier d'origine. Puisque, pour les autres, soit les analyses ont mis en évidence des quantités trop faibles d'arsenic, soit il y avait prescription. Sont inscrits : le père (Pierre Eugène Davaillaud), la mère (Marie-Louise Davaillaud), le mari (Léon Besnard), le beau-père (Marcellin Besnard) ainsi que la cousine (Pauline Lalleron) et l'amie (Blanche Rivet).

En raison de l'ampleur de l'interrogatoire, le conseiller Pourquery de Boisserin autorise Marie Besnard à s'asseoir.

La voix posée du président contribue pour l'instant à désamorcer les passions. Les doutes et les questions concernant les événements de la vie de Marie Besnard sont étalés devant un parterre de soixante-dix journalistes et une salle remplie de curieux.

Pourquoi avoir fait mourir le chien Castor ? Dans quelle intention avoir engagé le détective Loccident ? Dans quel but envoyer des lettres anonymes ?

Les insinuations de sa relation avec le domestique sont encore niées. Elle sait qu'elle n'avait pas toute sa raison au moment des lettres écrites en prison qui ne correspondaient pas à sa vraie nature. Elle était victime d'une pression incontrôlable de la part des « moutons ».

Le fameux déjeuner avec l'arsenic dans la soupe de Léon Besnard est resservi tel un mauvais plat réchauffé. Il faut y ajouter toutes les autres inculpations d'assassinat sur des personnes que l'accusée chérissait.

Quand va-t-elle sortir de ce cauchemar ?

Le rapport des psychiatres et le témoignage de la police

Comme l'ont déjà précisé les médecins, Marie Besnard est entièrement responsable de ce qu'elle fait. Même si le docteur Cellier reconnaît que l'affaire des « moutons » est inadmissible, il ne dresse pas pour autant un portrait psychologique avantageux de l'accusée.

Lorsque le commissaire Nocquet apparaît, il est encore bien jeune, avec ses trente-trois ans et ses allures de boxeur.

Il n'avait que vingt-neuf ans au début de l'enquête. Que voulait-il prouver avec ses manières d'enquêter très personnelles ? Le commissaire était responsable de l'enquête avant l'inculpation de Marie Besnard.

Sans aucune preuve, il était persuadé de la culpabilité de celle que la rumeur traquait depuis une année. Le commissaire menait sa propre enquête. Sous le couvert des commissions rogatoires, les interrogatoires allaient au-delà des simples questions sur les circonstances de l'incendie ou du vol. Il voulait faire avouer Marie en lui faisant croire que toutes les preuves étaient rassemblées sur le bureau du juge d'instruction. Maître Hayot lui reproche le flagrant délit lors de sa visite à la prison de Poitiers où le commissaire oblige Marie Besnard à dire ce qui n'est pas vrai. Elle est menacée par les titres de journaux qui publient le rapport positif des analyses.

La défense ajoute dans ses attaques le permis permanent pour visiter les « moutons » afin de prendre les lettres de Marie Besnard. « Le permis était-il indispensable dans la mesure où le juge avait un remplaçant ? » demande maître Gautrat. Le commissaire va jusqu'à dire : « Il n'y a jamais eu de liens spéciaux entre la police et les trois femmes dont vous parlez. » Les intéressées, apeurées de se retrouver au tribunal, affirment le contraire. « Des papiers étaient bien remis, en complicité avec le commissaire et l'inspecteur, au bureau de direction de la prison. »

L'inspecteur Normand est entendu le lendemain. Il avait pour mission de relever tous les faits suspects de l'incendie, du cambriolage, des lettres anonymes, des rumeurs... Lui non plus n'a pas trouvé les personnalités ni les actes d'Auguste Massip et de Louise Pintou incohérents et farfelus.

Bien au contraire, l'incendie ou le cambriolage n'étaient pas prioritaires dans son enquête. Il a fait passer au premier plan la rumeur de l'aveu de l'empoisonnement de Léon par Marie Besnard. L'inspecteur voulait, à n'importe quel prix, donner une coupable à la police. Tous les moyens ont été utilisés pour qu'elle avoue. Il n'en est pas à cette seule irrégularité. Maître Hayot ne le lâche pas.

> « Et que sont devenues toutes les lettres que vous avez échangées avec Louise Pintou ? Elles n'ont jamais été retrouvées dans le dossier d'instruction ?
> – Je ne les ai pas conservées. »

Louise Pintou partie en séjour chez ses enfants, l'inspecteur essayait de lui faire écrire l'aveu qu'elle avait reçu de Léon Besnard. Le jour suivant cette audition, le témoignage de la postière de Loudun est très attendu.

Louise Pintou a un doute

Les dénonciateurs de Loudun, du domestique Landré à l'ami Baraudon en passant par le couvreur Garnier, ont tout vu, tout entendu des relations extra-conjugales du couple Besnard. Chacun y va de son témoignage. De conversations langoureuses en gestes compromettants, en passant par les disputes de Léon et Marie, le tableau est complet. Les lettres anonymes ont fait beaucoup de tort à leurs destinataires, selon Mme Baraudon. Mais il ne faut pas oublier que Marie Besnard en a reçu comme les autres. C'est le retour aux Liboureaux, avec le repas, qui est resservi. De la soupe, y en avait-il ou pas ? Le liquide blanchâtre ne se voyait donc pas ? Le goût de la soupe n'était-il pas altéré ? Quand bien même, les enquêteurs n'ont jamais retrouvé de trace d'arsenic dans la maison des Besnard. Comment Marie Besnard s'en serait-elle procuré ?

Il faut patienter jusqu'au **20 mars** pour entendre celle par qui la machine s'est emballée.

Louise Pintou est âgée de soixante-six ans. Son aspect sec n'inspire pas la chaleur ni la convivialité. Le débit de sa voix est rapide, elle a bien appris les réponses. Elle se contrôle au maximum en saisissant le micro à pleines mains. Son assurance s'effrite lorsque maître Gautrat lui rappelle ses périodes de dépression accompagnées de séjour en maison de repos, la lettre équivoque reçue par le domestique allemand Dietz. Sa lecture à l'audience révèle les arrière-pensées de Louise. Alfred Dietz ne s'est d'ailleurs pas rendu aux convocations du juge. Il s'est acquitté de l'amende de non-comparution. Personne ne le verra durant ces douze années de procédure. La confrontation n'a donc jamais eu lieu.

8 août 1947

Alfred,

Cette nuit, j'ai fait un rêve (et je puis vous dire que mes rêves se réalisent toujours). L'heure de la Libération avait sonné. Vous étiez gai, joyeux et nous heureux de votre bonheur. Nous vous avons accompagné à la gare de Poitiers (avec l'auto de M. Besnard) où vous avez pris le train qui vous a amené très vite en Allemagne. Votre maman était là, à la gare, pour vous attendre entourée de votre grande sœur, de votre petite sœur et de votre frère. Tous vous ont accueilli avec des transports de joie, ne pouvant croire à tant de bonheur et j'ai vu des larmes couler sur les joues de votre chère maman bien émue en embrassant son cher Ady. Bientôt Alfred, très bientôt je vous assure ce rêve se réalisera. Nous vous le souhaitons bien vivement et tous les jours nous ferons une petite prière pour demander au bon Dieu votre retour prochain. Croyez que nous garderons toujours un excellent et fidèle souvenir de notre grand enfant auquel nous sommes très attachés et à qui nous souhaitons tout le bonheur qu'il mérite si bien.

Une grand-mère Pintou

(Lettre extraite de l'article du *Parisien libéré* du 22 mars 1954.)

Le témoin confirme la rumeur mais Louise Pintou finit par être déstabilisée par maître Gautrat.

« Avez-vous eu quelques doutes concernant la véracité de l'aveu de Léon ?
– Jusqu'aux résultats de l'expertise, oui.
– Doutez-vous encore aujourd'hui ?
(Le silence en dit long sur la réponse.)
– Bien sûr !... »

L'audience du 20 mars est close. Le lendemain, dimanche, laisse les esprits se calmer.

Les frères Massip à la barre

Le 22 mars, très excité, Auguste proclame sans attendre d'être interrogé :

> « Ce que j'admire le plus ici, c'est Marie Besnard. Oui, j'admire sa patience à ne pas se décider à avouer. Elle ne l'a pas fait heureusement ! Si elle avait décidé, les gens de justice n'auraient plus à qui s'en prendre. »

Il est immédiatement expulsé par le président. Interroger le témoin dans l'état de nerfs et de délire où il se trouve est impossible. La salle assiste au spectacle qui se poursuit avec son frère Joseph. Il fait rire tout le monde. La franchise de ses réponses au sujet du récit de l'aveu de Mme Pintou entraîne un déferlement de rires. Comme il est sourd d'une oreille, l'échange n'est pas facile :

> « Je dois dire que je suis sourd, complètement sourd. Si vous voulez que je comprenne quelque chose à ce que vous dites, envoyez quelqu'un. Ben nous, Marie, on l'aime bien. Je ne vois pas pourquoi on lui cherche tout ce mal. Elle est dévouée... »

Sa déclaration n'apporte rien de plus à tout ce que la cour sait déjà. Calmé, en apparence seulement, Auguste Massip revient dans la salle. Il répond sans attendre aux questions. Il débite sa rencontre avec les Besnard. Le récit n'en finit pas. Le président le presse de détailler l'aveu de Louise Pintou. Il y vient. Il doit être interrompu par le juge pour qu'on puisse écouter ses réponses. Le procédé ne lui convient pas et le témoin ose lancer :

> « Vous m'interrompez toujours. Vous m'embrouillez tellement que je ne sais plus où j'en suis. »

Pour en terminer, excédé par les rires du public que déchaîne son audition, le président lui crie de sortir. Peu importe, il y a assez de monde à l'extérieur du palais pour qu'il poursuive son histoire devant des badauds attentifs.

Les témoins, ceux qui ont entendu la rumeur, ceux qui ont assisté aux derniers jours de Léon, ceux qui ont assisté aux exhumations... vont encore se succéder jusqu'au **23 mars** avant de laisser la place aux experts dès le 24.

Les résultats des experts attaqués par la défense

Le professeur Fabre avoue qu'il ne sait pas si l'arsenic est soluble dans un milieu qui se décompose.

Le professeur Khon-Abrest déclare que « l'arsenic a été absorbé avant la mort ». La défense l'attaque sur le terrain des quantités analysées.

> « Professeur, il y a des erreurs. Selon les chiffres de l'analyse du cadavre de la mère de Marie Besnard, elle aurait dû avaler 18 grammes de poison. Or, le professeur Piédelièvre affirme qu'un demi-gramme suffit pour mourir sur-le-champ. Si on compare le dosage de l'arsenic au poids moyen des victimes à leur mort, c'est impossible de trouver 18 grammes.

– Je me refuse à refaire mes calculs, ici, en public. Ce que j'ai avancé est exact. »

L'illustre expert se doute bien que les chercheurs ont travaillé dans l'ombre des cabinets des avocats. Il n'admet pas cette façon de procéder. Avec son collègue Fabre, il demande l'autorisation de rentrer à Paris.

Quant au professeur Henri Griffon, il s'appuie sur sa méthode de radioactivité. Entre chimistes, elle est contestée. Maître Gautrat s'en fait le porte-parole.

« Vous n'êtes pas sans savoir que le rapport du médecin légiste estime que la méthode de la pile Zoé n'a pas donné assez de résultats dans le temps pour être fiable. Les savants anglais jugent aussi incertaines les expériences avec la pile atomique. Comment expliquez-vous d'une part que la méthode ait révélé qu'un cheveu de Léon Besnard contenait de l'arsenic ? En lavant la mèche de cheveu, il n'y avait plus trace de poison. Le produit a donc bien été ingéré du vivant du défunt. D'autre part, que l'arsenic n'est pas transporté par les eaux de pluies ? »

Le pluviomètre de Montsouris

Date de l'ouverture de la station en 1872. C'est un réceptacle de forme conique qui à son origine était en zinc et depuis les années 1970 est constitué de matière plastique. Sa hauteur est d'environ 40 centimètres et sa surface de réception de 450 centimètres carrés. Le pluviomètre réceptionne l'eau de pluie. En fonction de la quantité recueillie, les spécialistes déduisent la quantité de pluie tombée au mètre carré. Excepté l'expert Marcel Le Peintre, il ne semble

pas que l'appareil ait été utilisé pour d'autres expériences de ce genre.
Aujourd'hui, tous les mois, une personne du laboratoire d'hygiène vient prélever de l'eau pour analyses. Avec les services météorologiques, ce sont les seuls à se servir du pluviomètre.

Il avait appuyé son expérience sur l'eau du pluviomètre de Montsouris. Au contraire, les savants qui travaillent pour la défense trouvent une quantité d'arsenic importante dans cette eau. Pour l'expérience du cheveu, Marie Besnard n'a pas reconnu la couleur de la mèche. Les attaques fusent. On crie haut et fort que ces techniques de recherches sont périmées. Elles datent de 1887. Il y en a de plus récentes qui sont fiables.

Les avocats insinuent qu'il y a une accumulation d'incertitudes quant aux chiffres et aux modes de calcul employés.

Le professeur Griffon se considère insulté.

> « Comment en tant qu'avocats osez-vous remettre en doute mes compétences, vous qui n'êtes pas des scientifiques ?
> – Professeur, reprenons alors les méthodes sur ce tableau noir.
> – Je refuse de refaire les calculs puisque les autres experts, avec lesquels j'ai rédigé le rapport, sont partis. »

Il est temps désormais de s'en remettre aux conclusions des savants. Cités par la défense, ils démontrent que les experts assermentés ont commis des erreurs. Ce sont des scientifiques qui l'affirment avec des preuves à l'appui. Le professeur Griffon risque d'être encore plus déstabilisé.

Les savants s'opposent aux experts

Choisis par maître Hayot, les hommes de science, Marcel Le Peintre (ingénieur-chef du laboratoire de chimie au service de contrôle des eaux de la Ville de Paris), le docteur Ollivier (biologiste, médecin conseiller technique aux Établissements thermaux de La Bourboule) et le professeur Keilling (professeur à l'Institut national agronomique), ont multiplié les expériences pour arriver aux conclusions suivantes : pour l'ingénieur Le Peintre, il ne fait aucun doute que les eaux de circulation dissolvent l'arsenic qui réside sur les roches.

Il explique :

> « Le corps de Léon Besnard était submergé d'eau. Elle contenait un dixième de milligramme d'arsenic. Le poison est passé dans le cadavre du défunt. »

Comment ? C'est ce que s'empresse d'expliquer le docteur Ollivier :

> « Dans le sol, avec les phénomènes de naissance et de transformation des vers, des microbes... l'arsenic passe d'un état soluble à un état insoluble. Comme l'arsenic se trouve dans l'eau, le poison imprègne par ce phénomène de solubilité le corps des victimes. »

Enfin, le professeur Keilling rappelle que :

> « Dans les cimetières la présence du zinc est importante. Ce métal contient de l'arsenic. Si dans un pre-

mier temps l'arsenic est insoluble, il peut redevenir soluble par les effets de transformation de la vie microbienne et se placer sur le cadavre. Pour les cheveux, l'arsenic décelé peut provenir de l'extérieur. Le cheveu est un canal dans lequel peuvent se loger différentes matières. Porteuses de microbes, elles contribuent à dissoudre l'arsenic. »

Pour terminer, le professeur Keilling dénonce les conditions dans lesquelles furent réalisées les analyses de la terre du cimetière de Loudun :

« Les experts ont utilisé de la terre desséchée. Aussi l'arsenic provenant de la transformation des microbes d'une terre fraîche ne pouvait plus exister. Pourtant, j'affirme que les cadavres ont été imprégnés d'arsenic par la terre. »

On apprend le lendemain que le gardien cultivait des pommes de terre et des céréales. Pour combattre les doryphores l'arséniate faisait office d'insecticide !

L'expert Truffert arbitre la bataille de l'arsenic

Après avoir entendu quelques témoignages favorables à Marie Besnard, la cour et les jurés ne sont pas au bout de leurs surprises. L'arrivée imprévue d'un expert sème le doute dans les esprits.

Mais l'avocat général veut avant toute chose éclaircir les déclarations du professeur Keilling. Le professeur Piédelièvre devra contrôler le problème du passage de l'arsenic dans les cheveux. À ce moment-là, la défense émet un avis :

« Puisque le docteur s'est déclaré incompétent pour résoudre des questions de chimie, de biologie, de bactériologie et de dynamique des sols, choisissez, monsieur le président, un des membres de l'Académie des sciences.
– Votre requête est accordée, monsieur l'avocat. »

Avant de se prononcer sur le sort de Marie Besnard, l'avocat général Steck annonce donc l'arrivée d'un expert parisien, Louis Truffert.

Selon le parquet de la Seine, il peut apporter des éclaircissements sur le problème de l'arsenic. C'est un ancien suppléant, désigné en 1952 par la cour d'assises de Poitiers. Chargé de l'enseignement de la chimie toxicologique à la faculté de médecine de Paris, cet expert va arbitrer la bataille de l'arsenic. Pour lui cette substance est soluble. Alors que, pour les experts officiels, l'arsenic ne peut pas se trouver à l'état naturel. Il est par voie de conséquence d'origine criminelle. Pourquoi ? Parce que la terre du cimetière ne peut pas avoir contenu de l'arsenic véhiculé par les eaux de ruissellement étant donné, selon eux, que l'arsenic est insoluble dans l'eau.

L'expert Truffert démontre l'exactitude des analyses du professeur Keilling relatives au transport dans les cheveux de l'arsenic venant de l'extérieur par le phénomène de vie, c'est-à-dire transformation et mort des microbes.

Il apporte en outre des compléments d'information issus de ses propres expériences. Avec pour conclusion : « L'arsenic résiste aux lavages les plus détergents du cheveu. » Cette analyse remet en cause la certitude énoncée par les trois experts de la cour. Les avocats de la défense complètent les informations en précisant :

« Deux savants, MM. Bertrand et Demolon, ont étudié la dynamique des sols. Selon eux, les cheveux contiennent des microbes qui donnent naissance à un champignon dans la moelle du cheveu. Cette moisissure est postérieure à la mort. Elle facilite la fixation d'arsenic. Même des lavages à l'eau distillée n'évacuent pas la présence d'arsenic. Nous déplorons que ces expériences n'aient pas été prises en compte par les experts officiels, d'autant que les travaux ont été repris par deux savants anglais pour aboutir à des conclusions identiques. »

Le renvoi du procès pour complément d'information

La cour rend son délibéré. Elle ordonne de procéder à de nouvelles expertises. Ainsi peut-être la vérité éclatera-t-elle sans l'ombre d'un doute. Les experts nommés vont devoir mettre un terme à toutes les contradictions scientifiques. La discussion entre experts a bien lieu, comme prévu en 1949, au cours des différents procès. C'est la conséquence du refus de l'expertise contradictoire dès les débuts de l'affaire. Pendant ces joutes, l'accusée est reléguée au second plan. La clarté des explications n'est pas le fort de tous les intervenants. Parfois, la salle se surprend à comprendre, avant de sombrer dans le brouillard le plus complet.

Le travail à venir revient à des membres de l'Académie des sciences, les professeurs Demolon (physicien), Lebeau (toxicologue) et Javillier (biologiste). Mais des changements interviennent avec le décès du premier et les refus des deux derniers. Des remplaçants sont nommés en juillet 1954, qui seront aussi remplacés en 1955 par Maurice Lemoigne (membre de l'Académie des sciences, directeur du service des fermentations à l'Institut Pasteur), René Truhaut (professeur de toxicologie à la faculté de pharmacie de Paris) et le professeur au Collège de France Frédéric Joliot-Curie. Sa mort amène un autre expert, Pierre Savel. À ces scientifiques s'ajoutent deux médecins légistes, MM. L'Épée et Vitte.

La liberté provisoire

La mise en liberté provisoire de Marie Besnard est assortie du paiement d'une caution de 1 200 000 francs. Une énorme somme pour l'accusée qui n'a pas la fortune qu'on lui prête. Depuis son arrestation, ses biens sont placés sous séquestre. Impossible d'hypothéquer ou de vendre. Celle qui est accusée d'avoir récolté vingt millions de francs en héritage n'a plus le sou pour se retrouver hors les murs de la prison. Ce qui lui reste couvre à peine les frais des procès. Ses avocats vont devoir trouver une solution. Maître Hayot s'en charge. Toutes les offres venues de l'extérieur, notamment celle du chanteur Charles Trenet, sont bien évidemment exclues. Reste à saisir la chambre des mises en accusation et à plaider en faveur d'une modification de la décision des juges.

Le président de la Commission de la justice et de la législation adresse un courrier dans ce sens au garde des Sceaux.

L'arrêt du **12 avril 1954** rend la liberté à Marie Besnard. La caution ne sera pas à payer dans son intégralité. Les 200 000 francs à régler seront versés par les petits-cousins Chedozeau. Ils ont réuni toutes leurs économies. Marie Besnard ne l'oubliera jamais.

Le retour à Loudun

Après cinq ans passés dans une cellule depuis son arrestation en juillet 1949, Marie Besnard, qui a aujourd'hui cinquante-huit ans, n'en revient pas. Le 12 avril 1954, elle vit ses premières heures de femme provisoirement libre, oserait-on dire.

Sur la route qui la conduit vers la liberté, elle sent les odeurs printanières comme si c'était la toute première fois de sa vie. En voiture avec ses avocats, il faut ruser pour échapper à la meute de photographes qui les poursuit. Le couvent des bénédictines de Saint-Morillon, à une quarantaine de kilomètres de Bordeaux, ne va pas pouvoir accueillir bien longtemps Marie. Les assauts répétés des journalistes dans l'enceinte ou aux abords de la congrégation ne sont pas du goût de la mère supérieure. Moins de trois jours après son arrivée, Marie doit s'enfuir chez des amis à Vernon, dans l'Eure. Quelque temps de repos à l'abri des regards indiscrets lui permet de reprendre des forces.

C'est le **12 mai 1954** qu'elle retourne définitivement à Loudun.

L'administrateur de biens, M. Grellier, l'aide à dresser l'inventaire de la maison. La gestion n'a pas été saine. Marie Besnard signe une reconnaissance de dettes. Au début, avant que soient posés les scellés, la maison était ouverte aux quatre vents. Marie constate qu'on lui a dérobé certaines choses. Le désordre et la saleté font peine à voir. Avec son amie Irène, une ex-détenue, Marie commence un grand ménage pour reprendre ses habitudes de vie. Les verres des amitiés retrouvées vont s'entrechoquer encore pendant plusieurs jours. Les visites se succèdent chez les amis et les cousins Chedozeau. Les mauvaises langues seront malheureusement toujours là pour siffler à son passage. Marie Besnard les ignore. Libre, elle n'a qu'un seul souci en tête : vivre.

La rédaction de ses *Mémoires* est en cours. Elles ne sortiront pourtant que huit années plus tard. Le temps nécessaire pour que se mettent en place le rapport de toutes les expériences complémentaires et le troisième procès.

Le troisième procès, à Bordeaux, du 20 novembre au 12 décembre 1961

En 1955, l'équipe des experts est constituée. Le travail peut commencer. Il durera six ans.

En parallèle, les savants qui travaillent pour les avocats de la défense procèdent à de nouvelles analyses concernant la terre des cimetières. Le sol contient de l'arsenic qui peut provenir des cultures du gardien. Il les sulfatait à l'arséniate de chaux.

La déclivité du cimetière favorise l'infiltration des eaux dans les tombes. Les cercueils sont aussi analysés. Les menuisiers affirment mettre du plâtre dans les caisses. Ce matériau contient de l'arsenic. Les objets en zinc qui ornent les tombes en possèdent aussi. De l'arsenic plus qu'il n'en faut semble recouvrir toute la région et tous les monuments de Loudun.

Du côté des super-experts, pour connaître la relation entre la terre, les eaux de ruissellement et l'imprégnation dans les tombes, des exhumations de cadavres témoins doivent avoir lieu.

Au cimetière de Saint-Pierre-de-Maillé, trois corps de personnes décédées en 1944 sont exhumés. À Loudun, il s'agit d'un homme et d'une femme respectivement décédés en 1951 et 1954. Les taux d'arsenic seront bien inférieurs à ceux détectés dans l'affaire Marie Besnard. Le **12 juillet 1960,** le rapport des experts désignés par la cour d'assises de Bordeaux voit enfin le jour.

Les conclusions des toxicologues et le mémoire du professeur Joliot-Curie

La première partie de ces conclusions accorde une entière validité à la valeur des prélèvements effectués en 1952. Dans une deuxième partie, les méthodes de Marsh et de Cribier donnent satisfaction aux toxicologues, contrairement à celles de Griffon et Barbaud qu'ils jugent valables mais avec une application critiquable. En troisième partie, ils avouent que si certains restes cadavériques étaient en contact avec les produits arsenicaux, pour d'autres ce n'était pas le cas.

Dans la quatrième partie, les toxicologues expliquent que l'imprégnation d'arsenic dans les cadavres par le biais d'arsenic logé sur les cheveux est quasiment nulle quel que soit le système d'imprégnation. En cinquième partie, les experts corroborent les résultats de l'étude des experts de 1952 qui avaient décelé de l'arsenic dans les cadavres. Selon les dossiers de 1952, les cadavres ont dû absorber des doses d'arsenic avant leur mort de manière répétée ou en une seule fois. Pour finir, le rapport définitif va dans le sens de toutes les autres expertises qui ont conclu à un empoisonnement avant la mort.

Le professeur Joliot-Curie vérifie la méthode de Griffon et Barbaud qui met en jeu la radioactivité. Les expériences qu'il refait sur des mèches de cheveux de Léon Besnard concluent à :

une quantité bien supérieure à la normale pouvant dépasser de plus de quarante fois, en milligrammes par kilogramme de terre et litre d'eau, la concentration en arsenic des terres ou des eaux dans lesquelles les cadavres ont pu être plongés.

Les chiffres sont les suivants :

21 milligrammes au kilo pour Léon Besnard et 30 milligrammes au kilo dans les cheveux de Blanche Rivet.

Ce rapport alimente à nouveau l'accusation de Marie Besnard. Le rôle de ses avocats sera encore une fois déterminant. Ils ont travaillé sans relâche durant les six ans écoulés, avec des savants comme le professeur Le Peintre, pour que puisse éclater la vérité. La bataille est loin d'être terminée. De longues heures de plaidoirie viendront-elles ébranler la certitude des experts retranchés derrière leurs calculs ?

Marie Besnard à la prison-hôpital de Bordeaux

La santé de l'accusée est devenue incertaine. Depuis l'époque du procès de Bordeaux, des troubles cardiaques ont inquiété son entourage. Marie Besnard, âgée de soixante-cinq ans, n'intègre pas la prison du fort du Hâ mais l'hôpital Pellegrin de la prison. Pas entièrement libre, elle est placée sous contrôle médical. Défense de lire la presse. Sans beaucoup d'appétit, Marie se couchera tous les soirs très tôt, se plaignant de la longueur des débats.

La cour d'assises de Bordeaux est présidée par le magistrat Marcel Nussy-Saint-Saëns, entouré du procureur général M. de Robert et de l'avocat général maître Guillemin.

Le président est décidé à conduire les débats dans le calme. Il est déterminé à mener le procès à son terme. Les audiences dureront trois semaines. La salle et les abords du palais ne désemplissent pas.

Journalistes, jeunes étudiants en droit mais aussi en chimie, physique, sciences et les anonymes attendent l'inculpation de Marie Besnard. En effet, une campagne de presse a adopté cette ligne directrice.

À l'exception d'un petit nombre, l'opinion publique ne croit toujours pas à l'innocence de l'accusée. Les avocats de la défense sont toujours la cible d'injures, de menaces et de gestes de violence. La popularité dont Marie Besnard se serait passée n'a pas faibli au cours de ces douze années.

Six cadavres retenus sur les treize exhumés au cours de l'affaire

Le **20 novembre 1961,** Marie Besnard entend pour la troisième fois la lecture de l'acte d'accusation. Dans ses *Mémoires,* elle retrace l'émotion de cet instant :

> *Je ne voulais pas pleurer. Ce qui m'a donné le courage de retenir mes larmes, c'est peut-être d'entendre à nouveau égrener mot à mot l'accusation absurde, sortie de la boue des commérages organisés par de vilains policiers. D'entendre prononcer les noms de ceux que j'avais tant aimés et qui me protégeaient de là-haut me faisait repenser aux jours heureux que nous avions eus ensemble. Ainsi je n'entendais presque plus les vilenies débitées par le greffier.*

Le contenu de l'acte n'a pas varié depuis 1952. Pourtant, les décès litigieux examinés en 1961 ne sont plus qu'au nombre de six sur les treize d'origine. Il reste : Pierre Eugène Davaillaud et sa femme Marie-Louise, Léon Besnard et son père Marcellin, Pauline Lalleron et Blanche Rivet.

Marie est priée de s'asseoir durant l'interrogatoire.

Le président adopte un ton révérencieux à son égard. Il qualifie ce procès « celui des expertises et même de la procédure criminelle ».

Marcel Nussy-Saint-Saëns

Il préside les assises de Bordeaux depuis 1958. Né en 1903, c'est le petit-neveu du compositeur Camille Saint-Saëns (1835-1921). S'il éprouve un attrait pour la musique, il consacre ses loisirs à l'écriture, à des ouvrages sur Montaigne et Montesquieu. Un autre procès difficile avait été présidé par ce magistrat. Celui des Alsaciens enrôlés de force avec les SS de la division *Das Reich* et, par ce fait, déclarés complices du massacre d'Oradour-sur-Glane.

Conscient des erreurs commises de part et d'autre, il revient inévitablement sur ce qui est reproché à Marie Besnard, aussi pénible que cela puisse être. Au fur et à mesure de l'interrogatoire, elle se proclame toujours innocente comme au premier jour de son arrestation :

> « Je proteste contre les faits qui me sont reprochés. Si je suis là, c'est parce que je suis innocente. »

L'audience consacrée à Marie Besnard a duré deux jours. Elle s'achève le **21 novembre** sur la douleur de l'évocation de sa mère. Le président a tenté de déstabiliser l'accusée en décrivant son mari sous un jour coléreux, jaloux...

Marie n'est pas dupe. Personne n'arrivera à lui faire dire ce qui n'est pas vrai. On fait entrer deux premiers témoins. Leurs réponses ne font pas avancer le dossier. Il en ira autrement avec les premiers experts.

La défense monte à l'attaque

Le troisième jour du procès s'ouvre sur les premiers débats scientifiques. Le professeur Maurice Lemoigne est mis sur la sellette par maître Gautrat qui ne le lâche pas.

> « Vos contrôles ne sont pas assez précis. Était-il bien nécessaire de demander des compléments d'information à celui dont on contrôle justement l'exactitude des analyses ? Là où le professeur Piédelièvre prélève des tibias, Henri Griffon analyse des côtes. Quand un bocal contient un morceau de cuir chevelu, l'autre expert trouve le moyen d'analyser une mèche de cheveu. »

Il continue :

> « Vous n'avez pas contrôlé toutes ces anomalies.
> – Je tiens à dire qu'il est impossible pour nous de voir des avocats systématiquement contre les experts... On oublie trop vite notre serment d'expert. »

C'est ensuite au tour de son confrère Truhaut de passer son examen. Il énonce toutes les méthodes scientifiques (Marsh, Cribier, Griffon-Barbaud) utilisées par les experts. C'est un véritable cours magistral de sciences. Échantillons à l'appui, les heures se déroulent avec la moitié de la salle qui ne comprend plus rien. Il conclut :

> « Les analyses que j'avais pour mission de contrôler ont employé ces méthodes auxquelles je fais confiance. Les résultats sont corrects. »

Les avocats ne l'entendent pas ainsi. Ils critiquent ouvertement les techniques de Marsh et de Cribier. De chiffres contestés, en passant des milligrammes aux kilogrammes, le ton monte. Il faut se préparer au pire dans les jours qui suivent. Dès le 23 novembre, Henri Griffon en saura quelque chose.

La radioactivité en question

Maître Hayot présente en termes simples à la cour et aux jurés la méthode Griffon-Barbaud. Elle a permis de déceler de l'arsenic dans les cheveux de Léon Besnard. Si l'on passe sur la polémique de l'appartenance ou non de la mèche au défunt, le professeur Griffon est attaqué sur le problème d'une durée d'attente au cours de l'analyse.

> « Professeur, une fois le cheveu soumis aux rayons radioactifs, combien de temps avez-vous attendu ensuite pour doser l'arsenic ?
> – J'ai attendu quinze heures. Après quoi, le compteur Geiger mesure la teneur en arsenic.
> – Eh bien, l'attente normale est de vingt-six heures, aussi le compteur a enregistré d'autres éléments que l'arsenic comme par exemple le sodium. Où placer dans ce cas la rigueur du scientifique ? »

Pour essayer d'enfoncer la défense et de venir en aide à son collègue, le professeur Truhaut précise que Frédéric Joliot-Curie donnait son aval à cette méthode. Toutefois, il trouvait de l'arsenic où M. Griffon n'en avait pas relevé. Ayant dû vérifier les travaux, M. Truhaut a aussi trouvé de l'arsenic dans les cheveux de Léon Besnard. D'autres clameront que c'est inexact. À qui accorder le plus de crédit ?

Après trois heures de débat, l'audience est suspendue.

Elle reprend avec l'analyse de la terre du cimetière de Loudun. Les quantités d'arsenic diffèrent selon les experts. Le zinc, les eaux de ruissellement sont autant d'incertitudes quant à leur implication dans le transport de l'arsenic vers les tombes. Des erreurs de quantité, de virgule achèvent de semer le trouble chez les jurés. Qui croire ? Les experts adoptent une assurance désarmante avec leurs chiffres comme bouclier.

Les toxicologues en péril

L'expert Lemoigne est interrogé sans relâche par maître Gautrat.

> « Est-ce que l'arsenic provenant de l'extérieur a pu entrer en contact avec les corps des victimes ?
> – Mes expériences sur les objets en zinc révèlent une teneur très faible en arsenic. Les eaux de ruissellement n'ont donc pas pu véhiculer le poison si loin. Il aurait fallu de fortes quantités de produits arsenicaux au mètre carré de terrain pour, si l'imprégnation est possible, qu'on trouve dans les cadavres les doses du produit toxique. »

Pour le professeur Truhaut, il s'agissait d'examiner et de comparer les débris des cadavres litigieux avec ceux des cadavres et des chiens témoins. Aucune trace d'arsenic n'était visible sur le chien qui en avait ingurgité. Selon ses expériences, les chiffres des experts de 1954 et les méthodes ne sont donc pas à remettre en cause. Pourtant, la méthode Cribier est critiquée. La marge d'erreur, selon l'éminent conseiller scientifique de maître Hayot, est de l'ordre de 50 %. C'est avec cette méthode que toutes les analyses ont été faites ou presque. « Les tableaux du professeur Griffon qui a utilisé la méthode de Cribier établissent des calculs sur des quantités infimes qu'il rapporte au kilo », déclare l'avocat. Il y a un malaise. Des erreurs sont possibles. Les cahiers de laboratoire le démontrent. Il fut difficile de les obtenir. Les magistrats ont obtenu quelques feuilles. Henri Griffon a noté ses résultats. La lecture a pris plusieurs jours. Pourquoi ? Parce que des chiffres sont remplacés par d'autres à grand renfort de ratures.

M. Truhaut, qui a vérifié les calculs, ne semble pas s'être inquiété de ces détails. Mais il insiste.

> « Cette deuxième exhumation s'est réalisée sur des restes de cadavres en état de décomposition plus qu'avancé ! Comment voulez-vous obtenir des données incontestables ? »

Maître Gautrat soulève un dernier problème :

> « Combien de facteurs peuvent intervenir pour imprégner un cadavre plus qu'un autre ? Je vais vous le dire : la science n'en sait rien. Vous ne connaissez pas

tous les facteurs, vous ne pouvez rien en déterminer, rien comparer. »

Pour une attaque, c'est une attaque en règle. D'autres du même style clôturent cette cinquième journée d'audience.

La valse des chiffres

Le professeur Khon-Abrest, âgé de quatre-vingt-un ans, est à son tour mis en difficulté par la défense. Nous sommes le **27 novembre.** Le harcèlement des avocats sur les experts entre à ce moment-là dans une phase cruciale.

Maître Hayot, qui n'a cessé de refaire les analyses, lui annonce :

« Selon ce qui est inscrit sur le rapport, à partir de 25 grammes d'un débris de cadavre, vous obtenez 0,4 milligramme d'arsenic.
– C'est impossible, maître. Il y avait 4 grammes et quelque chose.
– J'en conclus que le chiffre a été modifié par quelqu'un d'autre. »

L'avocat souligne qu'il y a un problème de pourcentage par rapport aux kilos.

« Pour connaître la quantité d'arsenic, il faut savoir si l'expérience était réalisée sur des organes frais, desséchés ou sur des cendres. En effet, la quantité d'arsenic varie en fonction de l'état de l'organe. Si quelqu'un a bien analysé pour 10 grammes, le professeur Griffon a noté pour 100 grammes. »

L'audition du professeur dure trois heures avant que l'expert que tout le monde attend fasse son entrée.

Les fiches de laboratoire du professeur Griffon

Maître Hayot devait se montrer percutant à l'approche d'un débat scientifique. Le parquet soutenait le professeur et les magistrats le maintenaient. Le professeur Griffon gagne du temps en essayant de promener l'avocat sur des terrains inconnus. Il ne peut pas se douter des heures passées par maître Hayot et son équipe de chercheurs pendant ces années à faire et refaire les analyses. L'avocat démontre les contradictions des résultats à l'aide de tableaux comparatifs. Mais il ne veut pas déposer ses conclusions le soir même. Il attend, impatiemment, les fiches de laboratoire. Maître Hayot insiste, proteste pour les obtenir. Elles sont entre les mains d'un autre expert. Par crainte, ce dernier les remet enfin au président. L'avocat et l'expert Le Peintre les examinent durant la nuit. Grande stupeur !

> « Ce n'est pas possible, il ne peut pas avoir fait cela !
> – Mais quoi donc ?
> – C'est simple et tout à la fois impensable. Les résultats sont à l'opposé de ceux reproduits sur les autres fiches, rédigées par lui. Lorsque Griffon déclare l'arsenic soluble sur la fiche A, il inscrit insoluble sur la fiche B. »

Experts près des cours d'appel

En fonction des besoins de l'enquête, les magistrats et les parties au procès font appel à des experts. Les domaines d'intervention de ces derniers sont variés : depuis la toxicologie, la

médecine, l'immobilier en passant par les œuvres d'art, la comptabilité, l'automobile, jusqu'à l'œnologie. En fonction de ces spécialités, une liste est établie auprès de chaque cour d'appel. Chaque année, des experts peuvent déposer leur demande d'inscription pour travailler dans le milieu judiciaire. Les dossiers sont à remettre avant le 1er mars. L'examen des demandes dure près de huit mois. L'expert ne prend ses fonctions près des juridictions qu'au mois de janvier suivant le dépôt de sa candidature. Depuis le dépôt de la demande jusqu'à la décision finale, un long parcours se met en place qui donnera lieu à des avis.
En premier lieu, c'est le procureur de la République qui au vu du dossier examine si l'expert remplit toutes les conditions requises : diplômes, compétences, expérience, moralité, renseignements auprès des compagnies d'experts, publications, réputation, moyens et installations dont il dispose... Une fois instruit, le dossier est transmis au tribunal de grande instance, au tribunal de commerce et au conseil de prud'hommes. Chaque dossier est examiné et les avis favorables sont émis en fonction des besoins des juridictions. Les dossiers et les avis sont transmis au procureur général. Il les remet pour un dernier examen au premier président de la cour d'appel. Une ultime assemblée générale permet de dresser la liste définitive qui paraît durant la première quinzaine du mois de novembre. Chaque expert qui a posé sa candidature reçoit une réponse d'acceptation ou de refus. Devant la cour d'appel du ressort de leur domicile, les experts prêtent serment d'accomplir leur mission, de faire leur rapport et de donner leur avis en leur honneur et conscience.
Ce n'est que sur démission ou radiation qu'il est mis fin à cette fonction. La radiation peut inter-

venir dans trois cas : incapacité légale, faute professionnelle, condamnation pour faits contraires à l'honneur, à la probité et aux bonnes mœurs. Les textes relatifs aux experts judiciaires sont issus de la loi du 29 juin 1971 (ultérieurement modifiée par trois décrets de 1974, 1985 et une loi de 1985) et régis par le chapitre V du Nouveau Code de procédure civile ainsi que la section IX du Code de procédure pénale.

Le lendemain, il faut démonter toute cette manipulation. Les fiches circulent de main en main. On peut constater les ratures, les grattages... en un mot un travail arrangé. Les chiffres vont parler d'eux-mêmes. Le résultat de 1 milligramme au kilo inscrit sur la fiche devient sur le rapport final 12 milligrammes au kilo.

Sous le chiffre de 25 milligrammes d'une fiche de Marcellin Besnard, on peut encore voir, sous le grattage, le vrai chiffre. Henri Griffon ne veut pas reconnaître ouvertement ses fautes. Comment peut-il faire autrement ? Personne n'est venu à son secours. En toute simplicité, il dit :

> « Ce sont des fautes de dactylographie. C'est ma laborantine qui exécutait les travaux. »

Mais les contrôlait-il ? Il n'y avait pas de cahier de laboratoire pour chaque analyse. Seulement des fiches, ensuite le rapport synthétisait toutes les données. Il était incomplet. Les résultats ne tombaient pas juste avec ceux que calculait à nouveau le professeur Griffon. Avec ce type de discussion, il aurait été prudent de conserver toutes les fiches. Le professeur Griffon ne s'est pas entouré de cette précaution.

Cela lui joue un mauvais tour pour les analyses de l'eau en provenance du pluviomètre de Montsouris. Le professeur Griffon ne trouve pas trace d'arsenic. M. Le Peintre, chef du laboratoire du parc Montsouris, est surpris.

> « Tous les mois, les analyses prouvent le contraire. Je suis surpris aussi de voir que, pour l'analyse de l'eau distillée mêlée à de la terre arséniée, sur une fiche, votre assistante avait trouvé un résultat positif. »

Maître Hayot demande à voir la fiche.

> « Je l'ai jetée. Et puis même j'avais refait les calculs, comme je les trouvais négatifs. J'ai naturellement modifié le résultat. »

Maître Hayot enchaîne sur les analyses des cheveux.

> « J'ai fait procéder à l'expérience du lavage d'une mèche imprégnée d'arsenic. Les traces du poison disparaissent. Une fiche de laboratoire témoigne du contraire. Comment expliquez-vous ce phénomène ? »

Les savants présents ce jour-là ont eu honte. Le soir, des responsables de la faculté de Poitiers présents au procès ont dispensé le professeur Griffon de s'asseoir à leur table. À l'image du docteur Béroud au procès de Poitiers, la carrière de l'expert Griffon prenait fin au procès de Bordeaux.

Les chercheurs détrônent les experts

Celui qui était arrivé le dernier jour du procès de 1954, Louis Truffert, n'avait pas arrêté ses recherches. Il est entendu ce **29 novembre**. Expert national, professeur à la faculté de médecine de Paris et fondateur du Centre de toxicologie à l'Institut des recherches industrielles, il expose ses conclusions sur l'imprégnation de l'arsenic. Son désaccord avec les experts porte sur l'interprétation des résultats obtenus. Puis il explique la présence d'arsenic dans les corps des victimes par l'intermédiaire de l'eau.

> « Elle contient de l'arsenic en petite quantité mais elle fixe le poison grâce à la putréfaction d'une matière. »

À ce propos, maître Gautrat émet un doute sur la preuve d'intoxication de Léon Besnard.

> « Comment expliquez-vous que les cheveux du défunt contiennent de l'arsenic et pas le reste de son corps ? Est-ce la preuve d'une intoxication ?
> – Son corps était noyé dans l'eau du caveau et il s'est formé une barrière cutanée empêchant l'arsenic ambiant contenu dans l'eau de se fixer dans le corps, pour se fixer seulement sur les cheveux. Car il y a des cas où il se fixe et d'autres non. »

Ensuite, le docteur Ollivier expose ses expériences sur la dynamique des sols :

> « J'ai trouvé au maximum 378 milligrammes d'arsenic par kilo de terre. »

Le chercheur Marcel Le Peintre confirme les propos de son collègue :

> « L'arsenic a bien une provenance extérieure au cadavre. »

Le professeur Keilling précise à la cour les origines de l'arsenic dans les tombes :

> « J'en ai trouvé partout, dans le sable, la maçonnerie des tombeaux, le béton, le ciment et d'autant que les cultures avoisinantes sont sulfatées avec un produit arsénié. »

Son témoignage est suivi par celui de l'ingénieur géomètre Langumier, qui a constaté une chose importante pour comprendre comment les tombes pouvaient recevoir les eaux de ruissellement :

> « J'ai pu vérifier la déclivité, sud-nord, du cimetière de Loudun. Constatez par vous-même sur la présente maquette. Les tombes de la famille Besnard reçoivent toutes les eaux de ruissellement chargées en arsenic. Par contre, en raison d'une meilleure disposition, les caveaux des cadavres témoins ne sont pas situés en contrebas. Donc il était impossible qu'ils puissent contenir de l'arsenic. »

Enfin, l'agronome, M. Bastisse, renforce le témoignage du professeur Keilling

> « J'ai analysé du sable et du ciment pour relever des quantités énormes d'arsenic. Par exemple, le corps de Léon Besnard est enfermé dans du sable et du ciment contenant à eux tout seuls 50 grammes d'arsenic. »

Des tableaux, des chiffres et des dessins complètent sa démonstration au tableau.

Au fur et à mesure que les jours passent, les expertises officielles sur lesquelles se fondaient les juges pour prononcer un verdict s'effondrent.

Que reste-t-il à l'accusation ? Les ragots de Loudun. Le procès entre dans sa dernière phase. Après dix jours de sciences, le retour des premiers dénonciateurs est annoncé pour le 1er décembre.

Les témoignages des dénonciateurs et autres témoins

Il en manquera un à ce procès de 1961, sans lequel la justice n'aurait peut-être pas été saisie de l'affaire. C'était un habitué des courriers virulents aux instances nationales. En 1960, il est d'ailleurs condamné à 1 200 000 francs pour insultes adressées par lettre au général de Gaulle. Auguste Massip réussit à diminuer sa condamnation de moitié. Il meurt à Tanger le 2 juin 1960.

Celle qu'on attend ne manquera pas le rendez-vous. La postière de Loudun passera après les voisins à la langue fourchue.

Le président les entend un par un. Les mêmes questions reviennent sur l'Allemand Dietz, les conseils de Marie Besnard à une amie pour supprimer le mari, le rapport du docteur Béroud qui a renforcé la rumeur…

Vient le tour de l'inspecteur Normand. Il reconnaît la hâte avec laquelle des conclusions sont nées de l'incendie du château des Massip et du cambriolage du domicile de Louise Pintou. La légèreté avec laquelle, sur de simples présomptions, l'enquête s'acharnait à les transformer en preuves. La jeunesse de l'inspecteur à l'époque des faits peut-elle tout excuser ? Sûrement pas le fait qu'une femme se proclamant innocente passe cinq ans de sa vie en prison.

Le jour de Mme Pintou tombe le 2 décembre. À soixante-quatorze ans, elle s'exprime avec le même débit précipité, fidèle à son personnage le texte est appris par cœur. Elle n'a rien oublié du récit de sa vie avec les Besnard depuis sa rencontre avec l'accusée dans le car. C'est une histoire arrangée à sa manière. Elle conteste avoir eu des relations avec Léon Besnard et s'être éprise en cachette du domestique Ady. En revanche, elle jure avoir reçu les confidences du mort et qu'il n'y a plus eu trace d'aucune amitié entre les deux femmes après la mort de Léon. Pourtant, maître Hayot lit des lettres de cette époque prouvant le contraire. Elles commencent par « ma chère amie » et finissent toujours par, « je vous embrasse bien affectueusement ». Louise Pintou ne se laisse pas démonter :

> « J'étais la locataire de Mme Besnard. Il était dans mon intérêt de garder de bonnes relations avec ma propriétaire. »

Le dossier médical du témoin est signalé aux jurés. Il ne plaide pas en sa faveur. Des arrêts-maladie pour cause de neurasthénie, accompagnés de cures en maison de repos, jalonnent sa fin de carrière. Louise Pintou, moins fière qu'à son entrée, repart avec son histoire aussi noire et lugubre que son allure.

Les autres témoins à charge vont défiler jusqu'au 6 décembre.

Le commissaire Nocquet n'est toujours pas ménagé par maître Hayot. Ses manières d'enquêter, le fait qu'il se soit fondé sur des rumeurs concrétisées par la déposition d'Auguste Massip..., autant d'erreurs qui lui sont encore aujourd'hui reprochées.

Le fermier, M. Baraudon, qui avait assisté au repas de son ami Léon, décrit avec minutie les scènes de la ferme des Liboureaux. Aucun détail sur des souvenirs vieux de douze ans ne lui a échappé.

Pour finir, les docteurs Gallois et Chauvenet, qui ont soigné le défunt, n'en disent pas plus qu'au cours de leurs premières dépositions. Les symptômes du malade étaient bien ceux de l'urémie. « Les intoxiqués n'ont pas les signes que j'ai pu constater sur Léon Besnard », ajoute le docteur Gallois. Le président questionne le docteur sur les causes de décès des autres membres de la famille. En fonction de la personne citée, ce sont des morts tout à fait naturelles : la vieillesse, la grippe, l'urémie, le suicide. Mais en aucune manière il ne développe la thèse de l'empoisonnement.

Pour achever l'audition des témoins, le président demande à entendre les quelques amis de l'accusée. Leur témoignage va dans le sens de la défense. Ils louent la personnalité de Marie Besnard, la bonne entente du couple, les liens d'amour très forts tissés entre la mère et la fille...

Le procès en est à sa troisième semaine d'audience. Les plaidoiries vont devoir finir de convaincre les jurés de la culpabilité ou de l'innocence de Marie Besnard. Le jugement n'interviendra que le 12 décembre. Les avocats ont trois jours pour exercer leurs talents.

Les plaidoiries de décembre 1961

Le **6 décembre,** c'est maître Paul de Caunes, de la partie civile, qui entame les plaidoiries. Il n'est pas souvent intervenu au cours de ce troisième procès. Personne n'a jamais su à qui ressemblait Marie-Charlotte Besnard que l'avocat représente. Son frère, trop âgé, l'a laissée continuer seule le parcours.

Le **9 décembre,** le procureur général va dresser son réquisitoire. La place sera libre pour la défense, les **9** et **10 décembre.** Selon la répartition des tâches du quatuor décidée par maître Hayot, chacun, dans son domaine, déploiera sa maîtrise implacable du dossier.

Maître Hayot déroulera le dossier scientifique, maître Favreau-Colombier la partie psychologique, maître du Cluzeau aura en charge la rumeur et le contexte de Loudun, maître Gautrat plaidera sur les grands principes juridiques.

La partie civile

Pendant près de quatre heures, maître de Caunes développe sa plaidoirie pour laquelle il trouve un auditoire dès le début ; il s'appuie sur le dossier psychiatrique.

> « L'accusée est menteuse, dissimulatrice, non émotive, sans révolte quand on l'accuse, sans désespoir, sincère quand on la confond. Les experts expliquent parfaitement son attirance pour Alfred Dietz par un égocentrisme forcené chez cette femme vieillissante qui veut attirer le désir d'un jeune partenaire. »

Et d'enchaîner qu'il ne croit pas cependant qu'elle ait été la maîtresse de Dietz. L'avocat explique pourquoi :

> « Marie Besnard voulait simplement se débarrasser de Léon, son mari, parce qu'il ne lui plaisait plus. Parce

qu'avec son argent, elle espérait refaire sa vie avec Alfred. Le témoignage de Mme Rossignol nous a appris, depuis longtemps, que Marie Besnard pensait à l'arsenic. Les témoignages de Mme Pintou et de M. Baraudon nous ont montré comment elle avait préparé l'empoisonnement. Je sais qu'on va me dire : les témoins sont suspects, les experts se sont trompés, les policiers aussi.
Alors si on écoute dans ce procès les avocats de la défense, les policiers ont faussé l'enquête, les témoins sont parjures, Marie Besnard est la victime d'une immense conjuration. Mais la défense oublie qu'en 1952, quand il fallut nommer des contre-experts, ce sont les avocats de Marie Besnard eux-mêmes qui demandèrent que fussent nommés MM. Fabre, Khon-Abrest, Griffon. Ceux-là que, par la suite, elle suspecta. Or malgré des erreurs de détail, les experts ont trouvé dans les restes de Léon Besnard 19,5 milligrammes d'arsenic. La dose normale est de 1 milligramme. Le professeur Khon-Abrest soutient que, trois fois sur cent, le corps humain n'en contient pas 1 milligramme. Ce que je veux retenir, c'est que Léon Besnard est mort rongé par l'arsenic et qu'il est mort comme un chien entouré de médecins impuissants et délaissé par son épouse. »

Maître de Caunes apporte un argument à chacun des points soulevés dans son introduction.

Pour terminer, il se tourne vers l'accusée :

« Marie Besnard, la justice des hommes va maintenant s'appesantir sur vous. Personnellement, je souhaite qu'elle ne soit pas exclusivement cruelle en raison de la durée de la procédure, de l'inquiétude et de la torture morale qui furent les vôtres. Après la justice des hommes vous aurez à subir celle de Celui qui juge et absout dans la mesure où l'orgueil fait place au repentir. »

Le lendemain, **9 décembre,** le procureur général, M. de Robert, enchaîne sur son réquisitoire.

Définition

Ministère public : organe qui exerce l'action publique et qui requiert l'application de la loi. Il est représenté auprès de chaque juridiction répressive par le procureur de la République ou le procureur général. Il assiste aux débats des juridictions de jugement. Toutes les décisions sont prononcées en sa présence. Il assure l'exécution des décisions de justice. (Art. 31 et 32 du Code de procédure pénale.)

Le procureur général

Une heure trente durant, le magistrat de Robert adopte un ton modéré pour insister sur la mort de Léon Besnard, celles de Marie-Louise Davaillaud et de Blanche Rivet. Il revient sur les témoignages de Mme Pintou et de M. Baraudon. La première attendait que ses accusations soient confirmées par le deuxième. Sans quoi tout se serait effondré.

Le procureur reconnaît le caractère odieux du crime. Mais il n'est pas convaincu de la culpabilité de Marie Besnard. Aussi, aucune peine précise n'est demandée. Après douze années de procédure, il fallait tendre vers un compromis. « Je m'en remets à la très haute sagesse des jurés. »

La défense

La dernière partie de la journée du 9 décembre, maître Hayot va plaider la partie scientifique :

> « Je me suis réservé la tâche la plus difficile, la plus rude, je dois dire aussi la plus désagréable. »

Définition

Procureur général : titre donné aux magistrats qui représentent le ministère public auprès des cours d'assises.
(*Vocabulaire juridique*, Gérard Cornu.)

Deux arguments majeurs sont mis en exergue. D'une part, le rapport Joliot-Curie devant lequel, précise l'avocat, tout le monde s'incline. Une mèche de cheveux a été analysée et le professeur concluait à une imprégnation arsenicale continue qui aurait duré cinq ans avant la date que l'accusation a communiquée comme étant celle de la prise du poison.

Maître Hayot demande :

> « Comment prétendre que Léon Besnard ait été empoisonné lors du repas à la ferme des Liboureaux ? »

D'autre part :

> « Sur des mêmes vestiges scellés dans le même bocal, les experts auraient établi les dosages suivants d'arsenic : 2, 16, 39, 48, 90 ou 130 milligrammes au kilo. C'est ça leur rigueur scientifique ! »

Durant les trois heures que dure son intervention, il ne cesse de démonter le dossier scientifique pour détrôner la toute-puissance des experts dans les prétoires.

Maître Jacqueline Favreau-Colombier lui succède. Avec son approche psychologique des débats, elle fait beaucoup pleurer Marie Besnard. N'est-ce pas l'avocate qui connaît le mieux l'accusée ? Depuis sa désignation en 1953 par maître Hayot, elle est restée en contact régulier avec Marie Besnard.

Aujourd'hui, maître Favreau-Colombier estime que si l'accusée est présente après ces douze ans de calvaire, c'est qu'elle veut sauver son honneur. L'avocate fixe l'attention de son auditoire sur Louise Pintou.

> « Marie Besnard a surpris son amie dans les bras de son mari. Ce qui n'a jamais fait plaisir à aucune femme. Je suis persuadée que Louise Pintou en a toujours voulu à Marie Besnard d'avoir gardé la paix dans son ménage et l'amour de son mari. La postière est veuve. On l'a dite névrosée. Qu'est-ce que la névrose ? Les psychiatres répondent : un tremblement de terre de l'esprit. J'ai eu la curiosité de m'intéresser à la famille de Louise Pintou. J'y ai trouvé beaucoup de morts, curieusement, au moins tout autant que dans l'affaire Besnard, une mère, un mari, un gendre... Pourquoi n'a-t-on rien demandé à Mme Pintou ? »

Elle dressera aussi de l'accusée un portrait plus flatteur que ceux de la presse :

> « La vraie Marie Besnard, celle que nous connaissons, est une brave paysanne poitevine, victime d'une cabale, de la méchanceté des personnages de Loudun qui ont évolué dans cette affaire. »

Maître Favreau-Colombier de conclure :

« Monsieur le procureur général de Robert vous a dit qu'il avait un doute et il ajouta : Vous, vous ferez comme vous voudrez. Alors, quand, au moment de porter le fer, l'accusateur défaille et que le fer qu'il brandissait retombe et qu'il vous dit : Frappez si vous voulez... moi je ne peux pas. Vous, les neuf jurés, vous sentez-vous le courage d'achever son geste ? »

Le même jour, la place est laissée à maître Henry du Cluzeau. En tant qu'avocat de Poitiers, il connaît la région de l'affaire mieux que tous les autres avocats. Avec sa légendaire élégance de ton, il fera appel au bon sens et à la logique des jurés. En leur posant, par exemple, comme question :

« Croyez-vous qu'il soit vraisemblable que Marie Besnard ait convoqué un témoin, M. Baraudon, le jour où elle voulait empoisonner son mari ? Croyez-vous que Léon Besnard ait parlé à la seule Mme Pintou de ses craintes alors qu'il y avait dix personnes chaque jour à son chevet qui devaient avoir plus de tête et de raison que cette dame ? »

Enfin, il démontre la cohérence des rapports des médecins sur les morts naturelles de Léon Besnard par urémie, de Blanche Rivet par arrêt cardiaque et de Marie-Louise Davaillaud par congestion cérébrale. Il reprendra des aspects du dossier, comme le passage du détective privé Loccident, le repas des Liboureaux, le poison qui n'a jamais été retrouvé dans la maison ni ailleurs... Les faits sont douteux.

L'avocat les démonte un par un.

« On entend parler de convictions des uns mais jamais de certitudes. C'est à mes yeux la meilleure démonstration... »

L'audience est suspendue tard dans la soirée. Le lendemain, maître Gautrat sera le dernier avocat de la défense à parler.

Il souligne les erreurs des experts qui l'amènent à développer l'erreur judiciaire et les grands principes judiciaires. En parallèle, l'avocat place le sérieux travail des chercheurs qui ont œuvré à côté de la défense. Ce sont eux qui ont permis de contrôler les travaux des experts pour conclure qu'ils étaient faux. Durant trois heures, la salle est suspendue à ses paroles. La logique, la sensibilité de la forme et du fond ne peuvent que jouer en faveur de l'accusée.

Les dés sont lancés. Les journaux peuvent d'ores et déjà imprimer à leur une :

MARIE BESNARD ACQUITTÉE.

Chapitre 3
Le jugement

À l'issue de la plaidoirie de maître Gautrat, le président de la cour d'assises donne la parole à l'accusée. Marie Besnard déclare :

« Si je suis ici, c'est que je suis innocente. Sinon, le remords m'aurait tuée. J'ai toujours été soutenue par mes chers défunts et ma chère maman. J'ai confiance en la justice de Dieu. Le Seigneur sait que je n'ai rien fait de mal. »

Le délibéré

Il est 15 heures, les débats sont clos. La cour et les jurés se retirent pour délibérer en secret dans la chambre du conseil. Marie Besnard s'installe dans la salle de sûreté, entourée de gendarmes et de ses avocats.

L'attente dure une bonne partie de l'après-midi. La sérénité qui se dégage de son visage époustoufle tout le monde. Elle raconte à ses gardes toute son histoire. Ils n'en reviennent pas.

Dehors, c'est la foule des grands jours. On vend des fleurs pour Marie Besnard.

C'est la fin du spectacle qui est la plus attendue. À 18 h 30, la sonnerie annonce la reprise de l'audience.

La cohue est difficile à contenir. Cela promet d'être encore plus important d'ici quelques heures.

Le verdict

Le président Nussy-Saint-Saëns, qui avait mené jusqu'à présent les débats dans un calme relatif, souhaite continuer dans cette atmosphère. D'une grosse voix, il met en garde les plus indisciplinés :

> « Je ne tolérerai aucune manifestation et les perturbateurs seront punis le plus sévèrement possible. »

Aussitôt il enchaîne sur la lecture de l'arrêt. Onze questions avaient été posées au jury. Elles correspondaient aux onze cas d'empoisonnement dont Marie Besnard était accusée. Un portrait de famille défile devant une salle suspendue aux onze réponses qui sont autant de négations :

> « Marie Davaillaud, veuve Besnard, a-t-elle volontairement attenté à la vie de... par effet de substances pouvant donner la mort plus ou moins promptement ? – "Non". »

Le vote des jurés

Le vote des jurés d'assises est obtenu à la majorité des voix : « Toute décision défavorable à l'accusé, y compris celle qui refuse les circonstances atténuantes, se forme à la majorité de huit voix au moins sur douze jurés. » (Art. 359, Code de procédure pénale.)

En conséquence de quoi Marie Davaillaud, épouse Besnard, est acquittée des fins de la poursuite.

L'émotion mêlée à la joie, aux larmes, au bonheur et à la victoire est sans commune mesure. Marie Besnard étreint ses quatre avocats. Elle leur doit le retour à la vie. Interviews, photos... l'accès à l'hôtel Eche-Ona, pour rejoindre la proche famille de Marie qui y logeait durant le temps du procès, est difficile. Il faudra du temps pour calmer les esprits et que la « bonne dame de Loudun » retrouve sa tranquillité.

Chapitre 4

Les anecdotes relatives aux procès

À l'occasion de chacune des audiences, la presse s'est fait l'écho de cette affaire. Après chaque procès, il n'y avait pas un moment dans l'année où les experts, les avocats, le monde de Loudun et Marie Besnard n'étaient le sujet d'un article ou d'une photo.

Elle devint encore plus populaire lors de sa liberté provisoire. Des masques à son effigie et à celle de ses avocats amusaient les enfants au moment des périodes de carnaval.

De l'avis des intéressés, l'humour avait ses limites. Il faut bien reconnaître que l'ampleur de l'affaire nuisait à la vie quotidienne des avocats. Les entrées du domicile et du cabinet de maître Hayot à Paris étaient cernées par des journalistes en mal d'interview et de photo. Les lettres de menaces, les attaques par jets de pierres ou les insultes dans les lieux publics dont fut victime maître Hayot prouvent combien l'opinion publique était persuadée de la culpabilité de Marie Besnard. Pour certaines personnes, il était inconcevable qu'un avocat puisse défendre cette accusée. Les titres des journaux le démontrent.

Les titres de la presse

Au début de l'affaire, en 1949, c'est un vrai déchaînement rédactionnel.

Marie Besnard continuera-t-elle à nier l'évidence ?

L'autopsie a révélé que sa mère a succombé à une dose massive d'arsenic. La Brinvilliers de Loudun va-t-elle avouer ? (*Le Parisien libéré.*)

Le mystère de Loudun s'éclaircit. Marie Besnard est bien une empoisonneuse. (*L'Aurore,* qui révèle le rapport Béroud.)

Marie Besnard a empoisonné au moins deux personnes. On a retrouvé de l'arsenic dans le corps des sœurs Lalleron. (*Le Parisien libéré.*)

La reine de l'arsenic est à Paris. (*Le Matin.*)

Jacques Berger, dans *Le Parisien libéré*, va jusqu'à dresser l'horoscope de l'accusée.

Les mauvais aspects s'enchevêtrent dans ce thème, pour exemple cet extrait :

Mercure, gourvernant l'horoscope confirme la ruse, le mensonge, la malhonnêteté, les manquements à la parole donnée.

Un Loudunais a écrit une complainte populaire sur l'air de *La Paimpolaise* (voir ci-contre). Sur les foires et les marchés, les marchands du pays poitevin croient à la culpabilité de Marie Besnard.

En 1952, au cours du premier procès, la tempérance

dans les propos de la presse commence à poindre. C'est le rapport du docteur Béroud qui produit cet effet.

Une complainte

La paisible vill' de Loudun
Célèbre par Urbain Grandier
Se réveilla un matin
Avec sa super-Brinvilliers
Un femme assassin
Pir' que la Voisin

Marie Besnard marque des points. Le rapport du toxicologue Béroud détruit par la défense. (*Combat.*)

Si Marie Besnard est coupable, qu'on le prouve et qu'on la juge. (*Franc-Tireur.*)

Au procès de Marie Besnard succède celui de la science des experts : le renvoi de l'affaire est possible. (*Le Matin.*)

Le procès de Marie Besnard est renvoyé : l'accusée a accueilli avec un sourire de triomphe la décision de la cour. (*Le Parisien libéré.*)

En 1954, le deuxième procès est encore plus suivi que le précédent. Les correspondants étrangers s'ajoutent à leurs confrères régionaux et nationaux. Ils viennent de Belgique, de Suisse, d'Italie, d'Angleterre et des États-Unis.

Chaque soir, dans *Le Parisien libéré*, Axel Ancel et Armand Gatti donnent un compte rendu détaillé de l'audience du jour. Ils recueillent l'avis du juré que le hasard n'a pas désigné pour siéger mais qui figurait sur la liste des vingt et un tirés au sort pour l'audience de 1954.

En fonction des témoignages, les titres relatent au jour le jour le suivi de l'affaire.

L'inventeur de l'affaire Marie Besnard, l'extravagant Auguste Massip, fait sombrer l'audience dans le ridicule : la cour, exaspérée, renonce à l'audition de l'ex-châtelain, sur le témoignage duquel fut édifié tout le dossier. (Franc-Tireur.)

La présence de l'arsenic dans les cheveux démontre l'empoisonnement, affirme le professeur Piédelièvre. (Le Parisien libéré.)

Le professeur Griffon est resté sans voix devant le pluviomètre du parc Montsouris. (Franc-Tireur.)

Nouveau coup de théâtre au procès Marie Besnard : la cour attend aujourd'hui la déposition capitale et inattendue du toxicologue Truffert pour décider de la suite à donner au procès. (Le Parisien libéré.)

Marie Besnard a quitté le fort du Hâ pour aller se reposer près de Bordeaux chez les sœurs de Béthanie. (L'Aurore.)

Pour le dernier procès, l'engouement reste le même. Les chroniqueurs affichent clairement leurs positions, qui ont le mérite d'appartenir aux deux bords : ceux qui croient à la culpabilité de Marie Besnard et les autres.

À son troisième procès à Bordeaux, Marie Besnard déclare : « Si j'étais coupable, je ne serais pas ici ». (Paris-Jour.)

Savants et avocats ont discuté sans les percer des mystères de l'arsenic. (Le Parisien.)

« Un rapport comme le vôtre laisse une impression désagréable », déclare le président au professeur Griffon. (Le Monde.)

L'ultime bataille d'un combat vieux de douze ans s'engage : Marie Besnard connaîtra ce soir la peine requise contre elle. Le procureur retient six cadavres. (France-Soir.)

L'incroyable fin d'un procès qui a duré douze ans : la foule en délire offre des bouquets de violettes à Marie Besnard acquittée. (France-Soir.)

L'acquittement de Marie Besnard. Les jurés ont rendu leur arrêt après plus de trois heures de délibération. (Le Monde.)

Issue logique d'un procès sans accusation fondée. Marie Besnard acquittée à Bordeaux. (Combat.)

Marie Besnard est acquittée : les jurés de Bordeaux ont répondu « non » aux onze questions posées. (Le Parisien.)

Marie Besnard a été rendue aux ombres de ses chers « disparus ». (Paris-Jour.)

La Justice a passé. Marie Besnard est acquittée c'est la Justice qui a gagné. (Paris-Jour.)

Loudun : Marie Besnard allume le petit sapin qu'elle a dressé chez elle. (Le Parisien.)

Marie Besnard sourit aux « aimables » commères de Loudun. (*Le Parisien.*)

Première journée de Marie Besnard à Loudun où elle désire reprendre sa vie paisible. (*Le Parisien.*)

Marie Besnard a fait un souper de réveillon à la table de ses amis les plus fidèles, M. et Mme Michel. (*France-Soir.*)

L'affaire Marie Besnard aura servi la toxicologie. (*Le Parisien.*)

Des personnalités s'intéressent aux procès

Si les journalistes suivaient les débats, il fallait aussi compter sur l'actrice romancière Mme Simone, les écrivains Hervé Bazin et Paul Vialar, ainsi que l'apparition, au cours du procès de 1961, de l'actrice Suzy Delair.

Dans *Paris-Jour*, le 25 novembre 1961, des artistes ont répondu à la question : « Si vous étiez invité à déjeuner chez Marie Besnard, iriez-vous ? »

Fernand Raynaud :

> « Oui, j'accepterais avec joie. Mais auparavant, j'emporterais la boisson. Et on mangerait les mêmes plats. On partagerait, voilà ! »

La femme de chambre d'Édith Piaf a dit :

> « Si Madame acceptait, moi, je mourrais de peur. »

Mick Micheyl :

« Oui, sans hésitation car j'estime qu'il y a le doute. Et d'autre part, Marie Besnard m'apparaît comme une victime de cette société qui nous tuera tous. On a souvent l'habitude de s'apitoyer sur les cas physiques mais jamais sur les cas mentaux. Il le faudrait pourtant, pour limiter les dégâts. »

Charles Trenet a souhaité intervenir dans cette affaire en 1954. De retour de tournée, il propose de payer la caution demandée par la cour d'assises pour que Marie Besnard puisse connaître à nouveau la liberté. Le chanteur explique sa décision aux journalistes venus l'interroger à ce sujet. C'est depuis son incarcération dans une prison d'Amérique du Sud qu'il se sent solidaire des personnes vivant un calvaire identique. Pour lui, il s'agissait de rien de moins qu'un différend avec son imprésario. La caution qu'on lui réclamait était supérieure à son compte bancaire brésilien.

Les avocats de Marie Besnard refusèrent toutefois l'aide du chanteur. Lorsque, en 1961, elle est acquittée, Charles Trenet accueille le verdict avec le sourire. Il avoue avoir suivi l'affaire de très près. Dans ce milieu, tout se termine généralement en chanson. Un duo mémorable a réuni pour un soir Charles Trenet et Marie Besnard au domicile de maître Hayot !

DES DOSSIERS ET DES FRAIS IMPORTANTS

À partir de l'ampleur de l'acte d'accusation, soit trente pages dactylographiées, on peut aisément imaginer le nombre de pages constituées par le dossier d'instruction (enquêtes, interrogatoires) haut de 75 centimètres avec 948 cotes et par celui de chaque avocat, qui doit se chiffrer en milliers de page. Il en va de même pour les rapports des experts. Celui de MM. Fabre, Khon-Abrest et Griffon contient 124 pages. Celui de 1960 comptabilise 157 pages. Il est signé par les professeurs Lemoigne, Truhaut et Savel.

Si les chiffres sont impressionnants pour les dossiers, que dire du coût engendré par l'affaire ? Des estimations sont publiées dans un quotidien en avril 1952.

Première expertise : 600 000 francs.

Expertises ordonnées par les juges de Bordeaux : 150 000 francs.

Deuxième expertise : 1 350 000 francs.

Frais des psychiatres : 200 000 francs.

Forfait des trois recours de la défense : 500 000 francs.

Copies des pièces demandées par la défense : 500 000 francs.

Expertises complémentaires demandées par la défense : 1 500 000 francs.

Il faut y ajouter le prix des procès de Poitiers et de Bordeaux qui comprend les frais de déplacement des jurés. Sans oublier les honoraires des avocats. Enfin, l'affaire aurait coûté à chaque Français : 0,50 franc. Comme Marie Besnard est acquittée, les frais de justice restent à la charge du Trésor public. Le procès de Bordeaux reviendrait à 25 millions de francs.

Une affaire qui nécessita un déploiement d'actes juridiques, médicaux et scientifiques en rapport avec les douze chefs d'inculpation mais qui engendra aussi d'importants frais financiers.

Les jurés à l'œuvre

Tirés au sort sur une liste de vingt et une personnes inscrites sur les listes électorales du département de la Vienne, en 1952, il en reste onze, tirés au sort par le président du procès de Poitiers. Parmi eux, trois femmes vont avoir à juger du sort de Marie Besnard. L'une d'entre elles est négociante à Loudun, l'autre est une institutrice en retraite. Pour le reste, on trouve une majorité d'agriculteurs. Mais aussi, un maréchal-ferrant, un entrepreneur et un jeune clerc de notaire d'une trentaine d'années.

En 1954, au moment du tirage au sort des jurés, l'accusation récuse un négociant en futailles. La défense riposte en récusant un général en réserve. Sans cela, la composition du jury est d'origine professionnelle assez diversifiée : un garagiste, un négociant en vin, un mécanicien, un industriel, un agent retraité de la préfecture et un coiffeur. Ce dernier suit attentivement la partie du procès où la mèche de cheveux de Léon Besnard suscite une polémique. Interviewé à la sortie d'une audience, il ne peut s'empêcher de lancer :

> « Moi, les cheveux c'est mon affaire. Je vais vous dire quelque chose. Eh bien, ces messieurs n'y pigent rien. Depuis trente-cinq ans que je suis dans le cheveu, j'aurais mon mot à placer. Mais nous devons nous taire ! »

Pour être juré

Il faut, selon l'article 255 du Code de procédure pénale, être âgé de plus de vingt-trois ans, savoir lire et écrire en français. Ne pas être déchu de ses droits civils, politiques et familiaux. Et ne pas être sujet à une incapacité ou à une incompatibilité telles que définies aux articles 256-257 du même code.

Le **12 avril 1954,** Marie Besnard s'apprête à sortir de la prison du fort du Hâ. Devant la porte est agglutinée une foule de curieux. Parmi eux, elle a la surprise de voir arriver les onze jurés. En effet, une coutume veut qu'à la fin de la session de la cour d'assises de Bordeaux, où ils viennent de siéger, ils visitent l'intérieur de la prison. Après un temps d'hésitation, l'un d'entre eux est venu serrer la main de celle qu'ils n'avaient pas encore pu juger.

Ce n'est qu'en **1961** que les jurés accompliront leur devoir jusqu'au bout. Ils vont devoir se prononcer sur la culpabilité ou l'innocence de Marie Besnard. Parmi eux, on trouve un jeune chef de chantier de trente-quatre ans. Mais, dans l'ensemble, comme pour les deux autres procès, la moyenne d'âge oscille entre cinquante et soixante ans. Ils occupent les fonctions d'agriculteur, de sous-directeur en papeterie ou de directeur d'une raffinerie de sucre... Il leur revient de prendre la décision finale. Leurs prédécesseurs, pour cause de renvoi de l'affaire, n'ont pas pu se prononcer. L'ambiance était parfois lourde à supporter, en raison des attaques portées de part et d'autre. Ils ont siégé trois semaines. Ils se sont plus souvent surpris à assister à un cours de sciences en faculté qu'à un procès.

Mais, au bout du compte, les explications correspondaient à leurs questions puisqu'ils ont émis, en trois heures de temps, leur verdict. Le secret du délibéré ne permet pas d'en connaître les détails.

Les réactions à Loudun durant les procès

En 1961 René Monory est maire de la commune de Loudun. À l'occasion d'une séance des coopérateurs qu'il présidait le 12 décembre 1961, il déclare :

> « Marie Besnard a fait plus pour Loudun que je ne pourrais jamais faire. Mais de cette "célébrité", nous allons essayer d'extraire quelque chose de bénéfique. »

Une chanson

De retour à la Pierr'-Levée
Pour utiliser ses talents
Marie Besnard fut affectée
Au servic' des médicaments
(Refrain)
Ce monstre tout rempli d'horreur
Qui versait si bien le poison
Est maintenant préparateur
À l'infirmerie d'la prison !

Dès les premiers soupçons d'empoisonnement véhiculés par la rumeur, les Loudunais furent partagés. Les avis ne s'exprimaient pas avec délicatesse. L'hôtelier qui habitait la maison située en face de celle de Marie Besnard placarda sur une affiche le slogan « On est mieux ici qu'en face ». Il ne s'en cachera pas. Mais en 1954, lors de la mise en liberté provisoire de l'accusée, il ne fera aucun commentaire.

Sur les marchés du Poitou, de l'Anjou et de la Saintonge, nous livre Pierre Seize dans son ouvrage *Au grand jour des assises*, l'attente du résultat des experts inspirait les compositeurs de chansons (voir ci-dessus).

On reprochait beaucoup et peu à la famille Besnard. La méchanceté alimentait les ragots. Les plus jaloux estimaient que tout lui réussissait, les héritages tombant toujours à point nommé. D'autres accusaient la légèreté des mœurs du couple.

Ce n'est qu'à partir du deuxième procès que Marie Besnard est baptisée la « bonne dame de Loudun ». Ce qui n'a pas apaisé la virulence des Loudunais.

Au moment de sa mise en liberté conditionnelle en 1954, les amis sont ravis mais encore peu nombreux. Les révoltés sont majoritaires, environ 75 % des habitants de la ville. Leurs propos ne sont pas en demiteinte :

> « C'est elle qui mériterait la prison et même l'échafaud »

clament les représentants de Loudun en comparant l'affaire à celle d'un pâtissier des alentours condamné à huit ans de réclusion criminelle dans une affaire de mœurs.

Une habitante de Loudun s'en prend à un des journalistes venus, en 1954, recueillir les impressions de la petite ville :

> « Je ne comprends pas pourquoi certains journaux sont pour elle. On ne trouvera plus personne désor-

mais pour témoigner dans un procès. C'est une honte pour la justice. Cette femme n'a fait que du mal. C'est un monstre. Je ne l'ai jamais vue mais depuis deux ans que je suis à Loudun, tout le monde me le dit. »

Les réputations se construisent sur bien peu, sinon souvent sur rien de concret.

Pour une autre partie de l'opinion le discours est bien différent. Le petit-cousin Chedozeau déclare à la presse :

« Tout cela ce sont des racontars de sorcières. Marie Besnard est incapable d'avoir assassiné douze personnes. »

Mme Landré ajoute :

« Jamais je ne croirai que Marie Besnard est une empoisonneuse. »

En 1960, par quelques commentaires dans le centre-ville, les habitants livrent leurs dernières impressions.

Une commerçante :

« En vingt ans, treize meurtres c'est beaucoup trop. »

Un retraité :

« Faites un référendum et vous verrez qu'il n'y aura pas majorité des voix pour elle. »

Selon un coiffeur :

« De mon avis, cinquante contre cinquante. »

Des propos plus modérés et raisonnables :

« En mon âme et conscience, je ne m'autorise pas à condamner Marie Besnard. »

René Monory, le maire de Loudun, calme les avis :

« Je n'étais pas maire quand cette femme a été arrêtée. Et je vous avoue que bien des choses se passent à Loudun qui me passionnent beaucoup plus que Marie Besnard. Je suis heureux de constater au soir du verdict que l'opinion locale est tout de même un peu moins déchaînée qu'il y a quelques années. »

Un vigneron résume d'ailleurs la lassitude des douze années de procédure :

« Voyez, cela ne nous intéresse plus depuis longtemps. Au début, on s'est passionné pour cette affaire. On s'est même fâché entre nous. Il y en avait qui étaient pour et d'autres qui étaient contre. On en était venu à ne plus jouer à la belote ensemble. Et puis, un jour, on a compris. On s'est remis à jouer en buvant chacun sa chopine. »

Chapitre 5

La fortune critique et ce qu'ils sont devenus

Entre le début de l'affaire et 1999, cinquante ans se sont écoulés. Les anciens se souviennent encore des chroniques radiophoniques et des articles de presse. À Loudun et dans les environs, ils ne veulent plus en parler. Pour les plus jeunes, le nom de Besnard n'évoque pas forcément un procès historique. En revanche, certains lui accolent spontanément le qualificatif d'empoisonneuse.

Bien souvent, ils ne savent pas que, au bénéfice du doute, elle fut acquittée. Le feuilleton télévisé où elle revit sous les traits d'Alice Sapritch, en 1986, a contribué à informer ceux qui n'étaient pas nés à l'époque de cette affaire. À noter que de son vivant, le réalisateur de ce téléfilm l'avait contactée pour recueillir son accord. Elle le lui refusa car elle ne souhaitait pas qu'une actrice telle qu'Alice Sapritch interprète son rôle. La raison en était simple : la comédienne, selon Marie Besnard, incarnait trop souvent à l'écran des personnages antipathiques.

D'autres manifestations ont à cœur de faire revivre l'affaire. Ainsi dans la Vienne, à l'automne 1999, le musée Théophraste-Renaudot, lors d'une exposition d'articles de presse commémorative du cinquantenaire du début de l'affaire, comblera les lacunes de nos mémoires. Marie Besnard sera à nouveau la vedette de Loudun. Celle qui avait voulu se faire oublier de la scène publique reprendra sa place à la une des journaux locaux.

Théophraste Renaudot

Personnage célèbre né en 1586 dans une famille protestante de Loudun. Entré à la faculté de médecine de Montpellier, il en sort à dix-neuf ans nanti du titre de docteur en médecine. Il étudie la chirurgie à Paris avant de partir parcourir l'Europe. Au cours de ses voyages il découvre la presse déjà bien implantée à l'étranger. À Florence, il lit les *fogli* où se mêlent les nouvelles de la guerre et les cours des marchandises. À Venise, il se passionne pour les bulletins vendus sur le pont du Rialto.

De retour en France, le docteur Renaudot exerce son métier dans son pays d'origine. Sa renommée gagne tout le Poitou. En 1612, il devient médecin ordinaire du roi affecté « au règlement général des pauvres du royaume ».

En 1618, il sera promu commissaire général des pauvres du royaume. À l'appel de Richelieu, il quitte Loudun en 1625 et s'installe à Paris. Il ouvre une agence de petites annonces avec des répertoires d'offres et de demandes les plus diverses. Plus tard les personnes qui recherchent un travail sont obligées par une ordonnance de police de s'inscrire au Bureau des annonces. Il sert ainsi d'intermédiaire entre les pauvres et les riches, les patrons et les ouvriers... La publication du premier inventaire de ce qu'il propose – chambres vides, habits neufs... – donne naissance à la feuille du Bureau d'adresses. Ce centre de publicité et d'information attire les acheteurs aussi bien que les vendeurs. Les nouvellistes y insèrent les potins de la ville.

Le 30 mai 1631, Théophraste Renaudot obtient pour lui et ses deux fils médecins, Isaac et Eusèbe (qui créeront plus tard à leur tour le *Courrier français*), le privilège de faire imprimer et vendre par qui et où bon leur semble les nouvelles gazettes. À l'origine, le journal *La Gazette de France* est de format 23 × 15 cm de quatre pages où sont rédigées les nouvelles des pays voisins ainsi que celles du royaume. La deuxième année de parution, l'édition atteint huit pages avec des récits de guerre, des nouvelles mais pas d'articles de fond. Il se lance dans le genre littéraire. Malgré les attaques dont il fait l'objet, le succès de *La Gazette* va croissant. Pour preuve la lettre patente signée de Louis XIII qui lui octroie une consécration officielle d'éditeur de publication. À sa mort, en 1653, alors qu'on l'enterre à Saint-Germain-l'Auxerrois on proclamera : « la Renommée vient de perdre un de ses meilleurs interprètes, un de ses plus fameux agents ».

Marie Besnard s'éteint à l'âge de quatre-vingt-trois ans

Déjà en 1954, lorsque les Loudunais ont compris qu'elle allait peut-être revenir dans leur ville, ils ironisaient en disant qu'« il faudrait fabriquer des guirlandes et faire venir des musiciens ».

En 1961, lors de son retour définitif à son domicile, Marie Besnard est accueillie par nombre de reporters, photographes et amis. Lassés, les ennemis se sont tus d'eux-mêmes, certains ont déserté la région. Forte de douze années de combat, ce ne sont pas quelques paroles ou regards malveillants qui l'auraient fait renoncer à sa vie à Loudun. Le retour à l'anonymat n'a pas été immédiat. Sollicitée pour des photos et des interviews, elle ne pouvait pas disparaître ainsi de la scène après l'avoir occupée tant d'années.

En 1962, la publication de ses *Mémoires* lui offre l'occasion de dédicaces dans des librairies régionales et nationales. Les revenus de la vente s'ajoutent aux biens qu'elle continue de gérer. Des photos la montrent souriante, élégante et décontractée. Son physique n'est plus celui du temps de la mantille et du manteau noir. Le chapeau à voilette, le chemisier imprimé fleuri et le tailleur blanc la font ressembler à une élégante madame Tout-le-monde. Marie Besnard rencontre son public. Il recueille directement ses paroles. Plus aucun intermédiaire n'est là pour interpréter les actes de sa vie. L'auteur conclut d'ailleurs son ouvrage par cette phrase :

> *Maintenant je me reconnais bien et vous aussi, vous la connaissez, la vraie Marie Besnard.*

Ce livre est salutaire. Le désordre que la rumeur a semé dans sa vie, ses *Mémoires* le balaient. Comme elle le dit :

> *C'est toujours de l'ordre qu'il faut mettre partout. Il ne faut pas craindre sa peine quand le mauvais temps vous amène la boue, et aller nettoyer dans les coins.*

À présent, Marie Besnard peut vivre heureuse.

Ce sera le cas auprès de son ami, Marius Bonhoure, originaire de Châtellerault, mutilé de guerre et veuf. Ils se sont rencontrés en 1954 par l'intermédiaire d'un ami commun. Leurs solitudes vont s'accorder le restant de leur vie.

Un soir de l'hiver 1980, à quatre-vingt-trois ans, atteinte d'un cancer des os, Marie Besnard a peut-être rejoint ceux qu'elle aimait tant. La rumeur qui l'accusait d'avoir empoisonné son mari ne se doutait pas que trente et un ans plus tard Marie Besnard quitterait ce monde le jour de la Saint-Valentin.

Selon ses dernières volontés, l'hôpital de Limoges a reçu son corps. Ce don à la science peut paraître mystérieux mais on peut y voir aussi un dernier clin d'œil aux experts en toxicologie.

Le poison à travers les siècles

De poison, il en fut énormément question au cours des trois procès. Il a divisé les plus grands chercheurs de notre siècle. Et pourtant, le poison existe depuis les origines de l'homme. Pendant la préhistoire, il était un moyen de subsistance et de défense. Les flèches étaient empoisonnées mais n'avaient sans doute aucun but criminel à atteindre.

C'est sous les Empires grec et romain que le poison devient une arme. Il est considéré comme un moyen d'accéder au pouvoir. Au Moyen Âge, sa fonction varie avec les alchimistes qui transforment les métaux en or en utilisant des matières toxiques. La préoccupation de leur toxicité n'est pas à l'ordre du jour. Il faut attendre la publication de la première classification des poisons dans *Le Traité des poisons* de Maimonide pour relancer la toxicologie.

C'est à la Renaissance que le poison redevient une arme pour les criminels politiques et de droit commun. Catherine de Médicis en a fait grand usage pour ses besoins politiques.

Au XVIIe siècle, l'utilisation du poison décroît pour laisser place aux duels à l'épée. Sous le règne de

Louis XIV on voit resurgir les grandes affaires d'empoisonnement. L'histoire de la Brinvilliers est un exemple bien connu. Avec l'aide de son amant, la marquise a tenté de se débarrasser de son père et de ses deux frères. Elle ouvre la voie à une série de meurtres par empoisonnement. Ils iront en diminuant au milieu du XXe siècle. La pratique de l'empoisonnement devient si répandue que le Code napoléonien de 1804 détermine le délit d'empoisonnement et les peines applicables. Les criminels se sentent tout à coup le point de mire des milieux judiciaires.

On voit arriver aussi une nouvelle profession, les médecins légistes. Ils interviennent lors des procès pour empoisonnement. L'arme de toutes ces affaires criminelles demeure en effet le poison. Le produit le plus utilisé, c'est encore et toujours l'arsenic. Le scientifique allemand Valentin Rosé, en 1806, est le premier à savoir détecter la présence de ce toxique dans le corps humain. La toxicologie fait d'énormes progrès. La physique contribue à ses avancées avec la détection des poisons par les rayons X, les rayons ultraviolets et les infrarouges. Les procès se succèdent et les expertises de plus en plus précises qui sont ordonnées mettent les futurs empoisonneurs sur leurs gardes. Ils essayent alors de se tourner vers d'autres procédés de meurtre. Fini l'arsenic, place aux alcaloïdes tels que la morphine.

Les somnifères et sédatifs, de plus en plus utilisés, font office de nouvelles armes pour les criminels. Mais un autre type de meurtres va surprendre les toxicologues.

En 1954, une femme, Christa Lehmann, tue son père, son mari et une amie avec un insecticide. C'est le toxique E605 mis au point durant la Seconde Guerre mondiale. En 1957, une piqûre d'insuline tue la femme de Kenneth Barlow. Les experts sont obligés de mettre au point de nouvelles techniques de détection des poisons. Les progrès se poursuivent durant tout le XXe siècle.

Aujourd'hui, si les statistiques énoncent une diminution des crimes par empoisonnement, il reste que, durant les années 1980, une dizaine de condamnations ont été prononcées dans ce domaine.

Les avocats ont donc à présent bien d'autres sujets d'étude. Ceux de Marie Besnard ont eu cependant à connaître tous les secrets des analyses des dosages toxiques de l'arsenic. Maître Hayot a d'ailleurs passé de nombreuses heures sur la question, troquant sa robe d'avocat pour la blouse blanche du scientifique.

Maître Hayot se souvient

Cinquante ans après, le regard de maître Hayot sur l'affaire Marie Besnard est toujours aussi passionné. Le célèbre avocat vient de traverser soixante-dix ans de plaidoiries. Le XXIe siècle attend avec impatience son entrée dans les prétoires. Lorsqu'il se charge de prendre la défense d'un client, il ne fait sûrement pas bon être à la place de l'accusation. En effet, avec un travail pointilleux et un acharnement exceptionnel, il entre directement dans les principaux détails. Toutes les données des affaires sont scrupuleusement examinées. Aucun point n'échappe à la constitution du dossier.

Quel que soit le domaine sur lequel il faut attaquer, il doit avoir réponse à tout. Pour cela, l'avocat possède l'art et la manière de s'entourer des meilleurs conseillers. Le procès Marie Besnard est un exemple parmi tous les autres. Il s'en explique :

> « Mes connaissances en toxicologie, je les dois à un homme, un savant, droit et intègre, qui est M. Le

Peintre. Présenté par mon ami directeur de la préfecture de Paris, il a procédé à d'innombrables recherches pour arriver à prouver les erreurs des experts. »

Malgré toutes les difficultés que peuvent rencontrer les avocats pour arriver à défendre leur client, maître Hayot appartient à la catégorie de ceux qui, à aucun moment de l'affaire, ne baissent les bras. Sa ténacité au procès de Marie Besnard le prouve. Il déclare lui-même :

« Je me trouvais devant une montagne d'arsenic. Je ne pouvais pas me tourner vers les magistrats, les jurés ou l'accusée. La seule solution était de m'attaquer à l'expert. »

À ce propos, l'avocat connaît le pouvoir qu'exercent les experts lors des procès. Il cite cette anecdote qui en dit long sur leur influence :

« Maître Maurice Garçon devait plaider une affaire où il était question de traces de sang humain qui avait séché sur un torchon. Il restait à déterminer de qui provenait ce sang. Le docteur Béroud avançait une thèse que l'avocat n'acceptait pas. C'est alors que maître Garçon lui a répondu : "Monsieur l'expert puisque vous le dites, je suis obligé de m'incliner." Vous voyez ainsi, quoi qu'il arrive, cette anecdote prouve qu'avant l'affaire Marie Besnard le savant avait nécessairement raison. »

Sur ce qu'a pu apporter l'affaire Marie Besnard, maître Hayot confie :

« Elle est aujourd'hui, comme d'autres affaires, dans l'ombre de mon passé. Mais il y a une leçon à en tirer. Je me dresse violemment contre cette loi de 1905 qui donne la toute-puissance aux experts. Lorsque la vie d'un homme est en jeu, on discute sur des chiffres. Il faut contredire l'expertise de front et ne jamais laisser les experts débattre, uniquement entre eux. Sinon, ils pensent être invincibles comme les Béroud et les Griffon. Le grand risque est que, dans un souci de complaisance, l'expert ait tendance à aller dans le sens de l'accusation. L'expertise est dès lors orientée. Lors de la réforme de l'expertise, j'ai saisi le procureur général pour obtenir que l'expertise devienne contradictoire afin d'éviter qu'une phrase du docteur Griffon ne se trouve appliquée dans les faits. L'expert disait, en effet, que lorsque la justice patauge et que la police ne peut rien, il y a heureusement l'expert et sa preuve irrévocable. »

Les conséquences du procès Marie Besnard concernant les expertises

Lors de la rédaction du Code de procédure pénale en 1958, venu remplacer le Code d'instruction criminelle, il fut envisagé de rendre l'expertise contradictoire, du moins lorsqu'elle est demandée au cours de l'instruction préparatoire.

L'affaire Marie Besnard avait servi de leçon à beaucoup. Mais elle n'a cependant pas apporté les fruits escomptés par la défense.

Pour éviter que les débats sur l'expertise aient lieu pendant les audiences, il paraissait judicieux durant l'instruction de procéder à une contre-expertise. La réforme, appuyée par maître Hayot, allait dans ce sens. À savoir que l'inculpé ou son avocat au procès, une fois connu le nom de l'expert désigné par le juge, puisse en proposer un autre. Ce projet a suscité une levée de boucliers de la part de l'ensemble des experts officiels (enchevêtrement d'intérêts quand il y a plusieurs inculpés, lenteur judiciaire augmentée, coût du procès plus élevé, critères d'acceptation du nouvel expert non contrôlés...). Si bien que l'expertise contradictoire en matière criminelle fut abandonnée. La partie qui le souhaite peut encore la demander mais elle lui sera refusée. Cela reste seulement un moyen de gagner du temps. Par ailleurs, le principe nouveau est celui de l'expert unique. Toutefois, si le juge considère que les circonstances le nécessitent, il désigne plusieurs experts.

Le contexte politique et sociologique aux dates clés de l'affaire Besnard

Des années 1947 à 1958, la France est placée sous le régime de la IVe République avec comme président depuis 1947 Vincent Auriol, suivi en 1954 par René Coty. L'œuvre de reconstruction économique et financière se poursuit. L'intégration européenne fait ses premiers pas à travers l'instabilité ministérielle ainsi que de graves problèmes de décolonisation. Les relations entre le RPF (Rassemblement du peuple français) et le général de Gaulle sont rompues en 1952. La même année, en Angleterre, Élisabeth est sacrée reine. Nos voisins allemands fondent en 1949 la RFA et la RDA. Tandis qu'à des milliers de kilomètres du vieux continent, la Chine proclame la république populaire dont le chef est Mao Zedong. En 1954, le ministère Mendès France ne tiendra pas longtemps. Assez cependant pour accorder l'autonomie à la Tunisie. Cette année-là voit la défaite française au Viêt Nam. Les accords de Genève signent la fin de la guerre d'Indochine. Si le transistor fait son apparition en 1948, il faut attendre l'année suivante pour l'invention de la stéréophonie et la mise au point de la télévision

par câble. La première ascension de l'Everest a lieu en 1953. Les liaisons aériennes transatlantiques deviennent régulières en 1954.
En littérature, dès 1949, les publications confirment la célébrité des écrivains comme Simone de Beauvoir avec *Le Deuxième Sexe*, Hervé Bazin avec *La Tête contre les murs*. Camus et *Les Justes* ou Bernanos et *Le Dialogue des carmélites*. En 1952, Antoine Blondin publie *Les Enfants du Bon Dieu*. Autre grand succès avec Roland Barthes et *Le Degré zéro de l'écriture*.
En 1961, la France est depuis trois ans entrée dans la Ve République avec le général de Gaulle comme président. Le gouvernement connaît de plus en plus de difficultés avec ses colonies. On assiste à une tentative de putsch à Alger. Les attentats de l'OAS (Organisation armée secrète) se multiplient. En Allemagne, le mur de Berlin vient d'être érigé.
De l'autre côté de l'Océan, John F. Kennedy devient le trente-cinquième président des États-Unis.
Le premier homme dans l'espace est un Soviétique, Gagarine. En pleine guerre froide, il devance l'Américain Shepard. Ainsi va le monde...

L'affaire Marie Besnard a permis d'obtenir une ordonnance motivée de refus de contre-expertise par le juge. Avant 1958, le juge d'instruction envoyait une simple lettre de refus aux demandeurs. Il n'y avait aucun recours possible.

Après 1958, la loi oblige donc le juge à exprimer son refus par une ordonnance. Cet acte de procédure est susceptible d'appel de la part des parties qui ont fait la demande d'une expertise contradictoire. À noter aussi que cette ordonnance motivée est émise dans le cas d'un refus de complément d'expertise ou d'un refus de désignation de plusieurs experts.

Ces décisions n'enlèvent rien à la valeur du combat mené par les avocats de Marie Besnard. Bien au-delà du rapport aux hommes et à la femme de loi, ils devinrent ses amis. À plusieurs reprises, dans son ouvrage, Marie Besnard leur rend hommage :

> *Oui, je dois avouer que mes avocats n'étaient plus pour moi seulement des défenseurs, mais des amis qui soulageaient ma peine. Nous parlions naturellement toujours des mêmes choses douloureuses, mais eux savaient qu'ils défendaient la cause d'une innocente. Une longue distance me séparait d'eux, mais ils n'hésitaient pas à me rendre visite. Paris, Bordeaux, ce n'est pas la porte à côté ; ils passaient de bon cœur, dans le train, les heures qu'il fallait pour m'apporter du courage.*

Du courage, il en a fallu aussi à Marie Besnard pour traverser ces épreuves en proclamant son innocence. Elle qui, sur les conseils de ses avocats, garda le silence durant les audiences de ses procès, laissons-lui une dernière fois la parole. Elle a voulu s'exprimer ainsi devant les caméras de « Cinq colonnes à la une », interviewée par François Chalais, le 6 mars 1959 :

> « Je voudrais que vous puissiez penser une minute seulement que je suis innocente. Oui, je suis innocente. Représentez-vous ce qu'a été ma vie pendant toutes ces longues années et ce qu'elle est encore. Ici, j'étais heureuse, très heureuse. Ici, j'ai vécu avec des gens que j'adorais, avec un mari que j'adorais et que j'adore encore puisque dans mes moments douloureux c'est toujours vers ceux que j'ai aimés que je tourne mes dernières pensées. »

Chronologie

1896	
15 août :	Naissance de Marie Davaillaud.
1920-1929	
6 avril 1920 :	Mariage de Marie avec Auguste Antigny.
1er juillet 1927 :	Mort d'Auguste Antigny.
12 août 1929 :	Mariage de Marie avec Léon Besnard.
1938-1939	
22 août 1938 :	Décès de la grand-tante de Léon Besnard.
14 juillet 1939 :	Décès d'un ami des Besnard, Toussaint Rivet.
1940	
14 mai :	Décès du père de Marie Besnard.
2 septembre :	Décès de la grand-mère de Léon Besnard.
19 novembre :	Décès du père de Léon Besnard.
1941	
16 janvier :	Décès de la mère de Léon Besnard.
27 mars :	Décès de la sœur de Léon Besnard.
27 décembre :	Décès d'une amie, Blanche Rivet.

1942

Dans l'année :	Première rencontre des Massip avec les Besnard.
Automne :	Première rencontre de Louise Pintou et Marie Besnard.

1945

1er juillet :	Décès d'une cousine, Pauline Lalleron.
9 juillet :	Décès d'une cousine, Virginie Lalleron.

1947

Mai :	Arrivée du domestique Alfred Dietz au service des Besnard.
16 octobre :	Déjeuner à la ferme des Liboureaux avec Marie, Léon Besnard et Alphonse Baraudon.
25 octobre :	Mort de Léon Besnard.
1er novembre :	Louise Pintou se confie aux frères Massip.
4 novembre :	Sur les dires de Louise Pintou, Auguste Massip écrit au procureur de la République pour dénoncer Marie Besnard, coupable d'avoir empoisonné son mari.
Novembre :	Enquête des gendarmes qui classent l'affaire sans suite.

1948

17 octobre :	Incendie au château des frères Massip.

1949

14 janvier :	Décès de la mère de Marie Besnard.
5 février :	Cambriolage au domicile de Louise Pintou.
24 février :	Commission rogatoire pour mener une enquête.

26 avril : L'inspecteur Normand chargé de l'enquête entend Louise Pintou.

9 mai : Audition de Marie Besnard en qualité de témoin.

11 mai : Exhumation du corps de Léon Besnard.

21 juillet : Marie Besnard est inculpée d'homicide volontaire sur la personne de son mari et emprisonnée à Poitiers.

Été : Exhumation de onze autres membres de la famille et amis.

Septembre : Affaire des « moutons » à la prison de Poitiers.

31 octobre : Le rapport de l'expert Béroud annonce la présence d'arsenic dans les viscères de douze cadavres.

1950

30 avril : Les experts en psychiatrie remettent leur rapport en concluant que Marie Besnard est responsable de ses actes.

1952

20 février : Premier procès devant la cour d'assises de Poitiers.

24 février : Le rapport du docteur Béroud contient des erreurs.

25 février : Le juge ordonne de nouvelles expertises. Marie Besnard retourne en prison.

22 et 23 mars : Deuxième exhumation des victimes.

1953

10 juillet : Marie Besnard est transférée à la prison de Bordeaux.

1954

15 mars : Deuxième procès devant la cour d'assises de Bordeaux.

1er avril :	Ordonnance d'une nouvelle expertise par d'autres experts.
12 avril :	Mise en liberté provisoire de Marie Besnard.
12 mai :	Retour dans sa maison de Loudun.
1958	
14 juin :	Exhumations de cadavres « témoins ».
1960	
12 juillet :	Remise du rapport des experts.
1961	
19 novembre :	Marie Besnard est écrouée à la prison-hôpital de Bordeaux.
20 novembre :	Troisième procès devant la cour d'assises de Bordeaux.
12 décembre :	Marie Besnard est acquittée.
1962	
Printemps :	Publication de *Mes Mémoires*, par Marie Besnard.
1980	
14 février :	Décès de Marie Besnard.

LES SPÉCIALISTES INTERVENUS AUX PROCÈS

Les experts :	MM. Béroud, Fabre, Griffon, Joliot-Curie, Khon-Abrest, Lemoigne, Médaille, Truhaut, Savel et Vitte.
Les contre-experts :	MM. Keilling, Le Peintre, Ollivier, Perperot et Schuster.
Les chercheurs :	MM. Bastisse, Truffert et Langumier.
Les psychiatres :	MM. Beaussart, Cellier et Laignel-Lavastine.
Les médecins légistes :	MM. L'Épée, Guillon, Piédelièvre et Séta.

Les hommes de loi intervenus aux procès

Le ministère public :
- MM. l'avocat général Girard (Poitiers 1952) ;
- l'avocat général Steck (Bordeaux 1954) ;
- l'avocat général Guillemin (Bordeaux 1961) ;
- le procureur général de Robert (Bordeaux 1961).

Les présidents :
- MM. les conseillers Favard de la cour d'assises de Poitiers (1952) ;
- Pourquery de Boisserin de la cour d'assises de Bordeaux (1954) ;
- Nussy-Saint-Saëns de la cour d'assises de Bordeaux (1961).

Les avocats :
- maîtres Lacan (avocat à la cour de Paris) ;
- de Caunes (avocat à la cour de Bordeaux) ;
- du Cluzeau (avocat à la cour de Poitiers) ;
- Favreau-Colombier (avocate à la cour de Bordeaux) ;
- Gautrat (avocat à la cour de Paris) ;
- Hayot (avocat à la cour de Paris).

Sources

BÉNÉZECH M., *A-t-on jugé Marie Besnard ?*, Éditions L'Esprit du temps, 1995.

BESNARD M., *Mes Mémoires*, Éditions Les Productions de Paris, 1962 (épuisé).

CAMPOS E., *Marie Besnard l'empoisonneuse*, Éditions Fleuve noir, 1993.

CORNU G., *Vocabulaire juridique*, Presses universitaires de France, 1994.

Dossier Meurtre. Enquête sur les grands meurtres de notre temps, Rumeurs 33.

FAVREAU-COLOMBIER J., *La Force de l'innocence : l'affaire Marie Besnard*, Éditions J'ai lu, 1994.

LAMORLETTE T., *Marie Besnard coupable ?*, Éditions Promothéa, 1993 (épuisé).

POUX H., *Poison et roman policier* (thèse en doctorat de pharmacie), Bordeaux N 70, 1991.

Articles de presse : *Le Monde, Libération, Combat, Franc-Tireur, France-Soir, Le Parisien libéré, Paris-Soir, Le Matin.* Dossiers APP (EA 183-184).

« Châteaux, manoirs et logis de la Vienne », association Promotion Patrimoine, 1995.

Chroniques judiciaires, n° 1, mars 1954.

« Cinq colonnes à la une », diffusion le 6 mars 1959.

Code pénal, Code de procédure criminelle, Code d'instruction criminelle.

Encyclopédie Dalloz, « L'expertise ».

Histoire générale de la presse française, tome I, Éditions Presses universitaires de France, 1969.

Lexique Dalloz, 10e édition.

Office de tourisme de Loudun.

Station météorologique de Montsouris.

Table des matières

Dans la collection « Grands Procès », aux Éditions De Vecchi :

L'Affaire Caillaux, de Lionel Dumarcet.
L'Affaire Dreyfus, de Denis Bon.
L'Affaire Bande à Bonnot, de Frédéric Delacourt.
L'Affaire Petiot, de Frédérique Césaire.
L'Affaire Mata Hari, de Lionel Dumarcet.
L'Affaire Louis XVI, du Dr Pierre-Alexandre Bourson.
L'Affaire Papin, de Sophie Darblade.
L'Affaire Villain, de Sophie Darblade.
L'Affaire Lafarge, de Gérard Robin.
L'Affaire Landru, de Christine Sagnier.
L'Affaire Panama, du Dr Pierre-Alexandre Bourson
L'Affaire Abbé Auriol, de Lionel Dumarcet.
L'Affaire Stavisky, de Denis Bon.
L'Affaire Steinheil, de Frédéric Delacourt.

Composition Nord Compo.
Impression Bussière, mars 2006.
N° d'édition : 9403. – N° d'impression : 060914/1.
Dépôt légal : mars 2006.
Imprimé en France.